BODENSEE - HERZ EUROPAS

Dear Tony,

The Rotary Club Konstanz was very happy having you here and hopes you will always remember us especially when looking through this book

The best of luck in the future.

Michael Stacker, President RC-Konstanz

Dear Tony, I hope to see you again, you are always welcome in Konstanz.

Yours Peter Dehn, Incoming President

[several signatures]

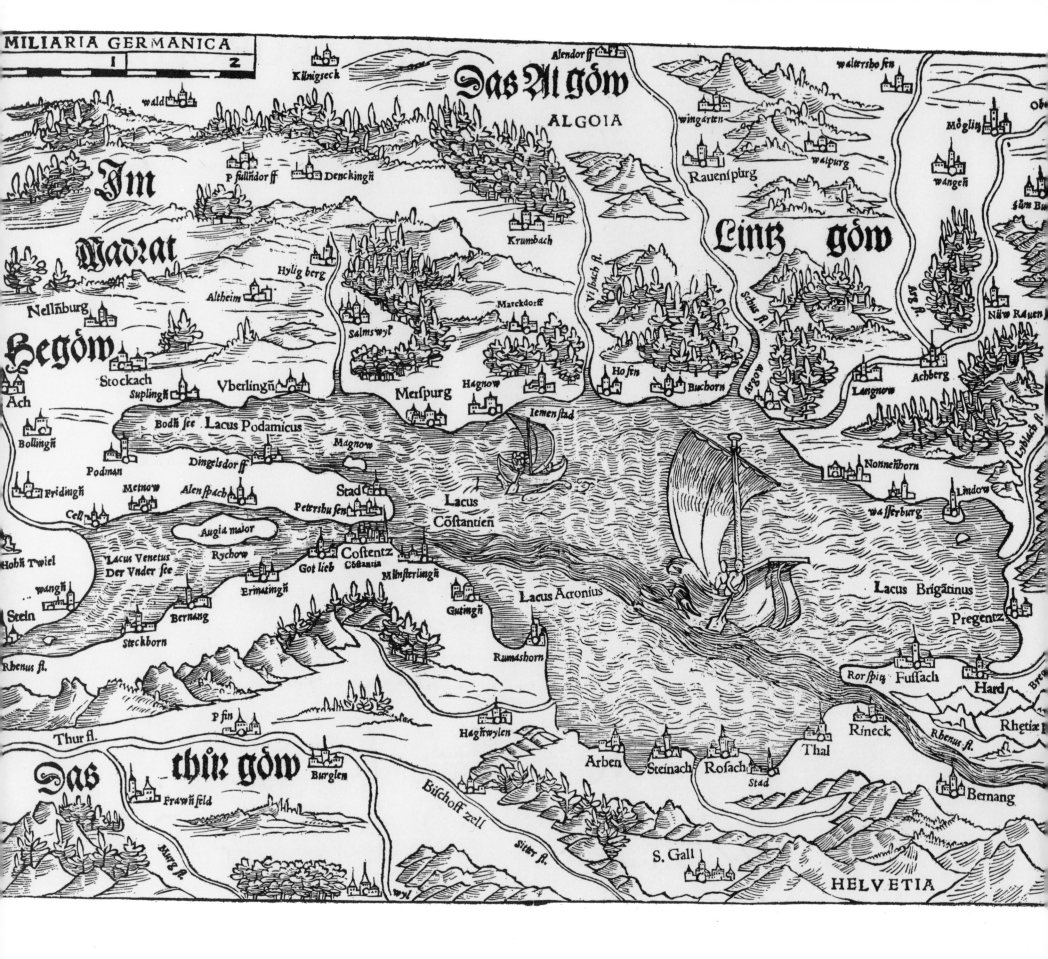

BODENSEE

HERZ EUROPAS

TEXT
MAX RIEPLE
FOTOS
TONI SCHNEIDERS

STADLER VERLAGSGESELLSCHAFT MBH KONSTANZ

Stadler Verlagsgesellschaft mbH Konstanz
9. Auflage 1992
Gestaltung: Harald Petri, Singen
Copyright by Verlag Friedr. Stadler
Inh. Michael Stadler, Konstanz
Die Karten werden mit freundlicher Genehmigung des Rosgarten-
museums in Konstanz, des Stadtarchivs in Singen und des
Germanischen Nationalmuseums in Nürnberg veröffentlicht.
Luftbilder: Franz Thorbecke S. 42, 51, 67, 70; Titus Keller S. 78;
R. Kirsch S. 49; Klammet & Aberl S. 72; Fritz Mader S. 39, 65;
Marco Schneiders S. 78.

ISBN 3-7977-0271-X

Mögen auch Ärzte und Anatomen mißbilligend ihre gelehrten Häupter schütteln, wollen wir dennoch getrost den Bodensee als »Herz« Europas bezeichnen. Manches stimmt jedenfalls bei dem Vergleich: Der Bodensee besitzt wie das Menschenherz neben der Hauptkammer des Obersees in dem Überlinger und Untersee Vorkammern, und ebenso die Aorta des Rheins, jene mächtige Ader, die dem See aus dem unerschöpflichen Quellgrund der Alpengletscher das graugrüne »Blut« zuführt und ihn damit zu einem lebenden Organismus werden läßt. Wir brauchen kein Stethoskop, um den Schlag dieses Herzens im leisen Pochen der Wellen oder in dem vom Föhn erregten Anprall der Wogen zu vernehmen. Unser Vergleich läßt sich sogar noch weiterführen, denkt man an das weitverzweigte Adernetz, durch das die gewaltige Herzkammer des Sees in unseren Tagen das lebenswichtige Naß in viele durstige Städte und Dörfer pumpt.

Der Bodensee – Herz Europas! Auch in übertragenem Sinne besitzt das Wort Gültigkeit, wenn wir wie unsere Vorfahren das Menschenherz nicht einfach als mechanisch funktionierendes »Pumpwerk« betrachten, sondern als Mittelpunkt des Körpers, als Sitz des Lebens und der schenkenden und empfangenden Liebe. So gesehen, kommt dem Bodensee eine dominierende Bedeutung zu.

Als noch große Teile Europas unter einer dicken Eisdecke schlummerten, begannen an den Ufern des Bodensees bereits Menschen zu siedeln. Aus der Stein- und Bronzezeit blieben uns in dem seichten Ufer bei Unteruhldingen und auch anderswo deutliche Spuren der Urbewohner erhalten. Die Waffen, deren sie sich im Kampfe gegen Bären, Auerochsen und andere wilde Tiere bedienten, die Feuersteindolche, Steinbeile und Fanggeräte, ja sogar die Baumstämme, die sie als Fundamente für ihre primitiven Hütten in den Boden rammten, lassen uns ahnen, wie man vor etwa 4000 Jahren hierzulande lebte. Wie die Kelten den Bodensee nannten, wissen wir nicht. Erst die Römer, die über den Splügenpaß und durch das Rheintal zum See vorstießen, gaben ihm nach dem neu gegründeten Hauptlager Brigantium, dem heutigen Bregenz, den Namen Lacus Brigantinus. In harten Kämpfen hatten sie sich mit den hier beheimateten Rätiern auseinanderzusetzen. Sie mußten sogar eine Flotte bauen, um die mit ihren Kähnen den See beherrschenden Vindelizier zu besiegen.

Neben Bregenz können auch Rorschach, Arbon und Romanshorn ihren Ursprung auf die Römer zurückführen. Diese brachten dem Lande nicht nur Kampf und Krieg, sondern beschenkten die Gestade mit den Gaben des Friedens, mit Obst und Wein. Wie die Kelten den Römern weichen mußten, so wurden die Legionen wiederum von den im Zuge der Völkerwanderung zum Bodensee vorstürmenden Alemannen vertrieben. Unter ihrem legendären Herzog Gunzo vermochte das junge Volk bei Überlingen ein erstes Reich zu gründen. In jener fernen Zeit beginnt Bodman ins Licht der Geschichte zu rücken. Bodman – Bodensee – beinahe gleichklingende Worte, die vermutlich in innerer Beziehung zueinander stehen. Klingt hier der Name des germanischen Gottes Wotan auf, oder der »Niederung« bedeutende Begriff »Podame«, den die Römer in dem Namen »lacus podamicus« verankerten?

Wie dem auch sei, bereits im sechsten Jahrhundert entstand in dem stillen Winkel des Überlinger Sees ein Fürstensitz, aus dem sich unter den Karolingern ein »palatium regium«, eine Kaiserpfalz entwickelte. Deutlicher vernehmbar wird damit der geschichtliche Herzschlag des Sees. Auch anderorts regte sich neues Leben, so auf der Reichenau, als Karl Martell dem irischen Glaubensboten Pirmin im Jahre 724 die »Sintlazau«, die heutige Reichenau, überließ. Das neu gegründete Kloster wurde zu einem Hort der Kunst und Wissenschaft, und die Kraft des Glaubens ließ die Mönche zu Pionieren werden in einem noch jungfräulichen Land. Sie machten den Bodensee zum »Herzen« Europas, dessen Pulsschläge – um mit dem gelehrten Mönch Ermanrich zu sprechen – »bis ins neblige Land der Britannen« zu verspüren waren. Die Mittlerrolle der Klosterinsel zwischen Süd und Nord zeigt sich heute noch in den mit germanischem Geist erfüllten romanischen Kirchen und in den ottonischen Fresken. Fast zu gleicher Zeit hob im Kloster St. Gallen der hohe Gesang der Antike wieder zu tönen an. Eines der ersten deutschen Bücher, das dort entstandene »Wörterbuch«, half mit, lang schon Verklungenes für germanische Ohren wieder vernehmbar zu machen. Wenig später dürfte die Merowingerfeste, die Meersburg, entstanden sein, von der aus Konradin, der letzte Hohenstaufer, im Jahre 1266 nach Italien zog, um seine Erblande zurückzuholen. Unter den an den Ufern erblühenden Städten ward Konstanz Mittelpunkt des größten deutschen Bistums, das sich vom

Gotthard bis zum mittleren Neckar und von Freiburg bis zur Iller erstreckte. Von den 87 hier residierenden Bischöfen half der 967 verstorbene Bischof Konrad als Ratgeber des deutschen Kaisers mit an der Gestaltung des Reiches. Um das geistliche Zentrum, das Münster und die bischöfliche Pfalz, siedelten sich Kaufleute und Gewerbetreibende an. Sie machten für lange Zeit Konstanz zum wirtschaftlichen Mittelpunkt des Bodenseeraumes und verhalfen dem Konstanzer Linnen zu hohem Ansehen in vielen Ländern Europas. So groß war damals die Ausstrahlungskraft der Stadt, daß man sie zum Sitz des von 1414 bis 1418 tagenden Konzils erwählte, durch das die gespaltene Kirche »an Haupt und Gliedern erneuert« werden sollte. Die Bodensee-Stadt war zur Weltstadt geworden, in der sich die Großen dieser Erde zusammenfanden, um an die Stelle der drei sich bekriegenden Päpste, der Kirche ein neues Oberhaupt zu geben. Daneben ein Ereignis von größter politischer Tragweite: Die Belehnung des zollerischen Burggrafen Friedrich von Nürnberg mit der Marktgrafschaft Brandenburg. Die Geburtsstunde Preußens hatte geschlagen.

Ein Konzil anderer Art findet heute alljährlich in Lindau statt, wo die Fürsten im Reiche des Geistes und der Wissenschaft, die Nobelpreisträger, zu fruchtbarem Gedankenaustausch zusammenfinden.

Ist es im Hinblick auf diese kontinuierlich über 1200 Jahre sich hinziehende Entwicklung des Bodenseeraumes, die in der Erhebung von Konstanz zur Universitätsstadt gipfelt, vermessen, von dem Schwäbischen Meer als dem Herzen Europas zu sprechen?

Während ein Fluß es uns leicht macht, ihm von der Quelle bis zur Mündung zu folgen, kennen die mit einem Kreis vergleichbaren Ufer eines Sees keinen Anfang und kein Ende. Wo also sollen wir mit unserer Fahrt beginnen? Am besten doch wohl dort, wo der Rhein, der eigentliche Vater und Ernährer des Sees in diesen einmündet. Es ist der Raum zwischen dem Pfänder und den Appenzeller Voralpen. Viermal stieß das Eis des mächtigen Rheingletschers durch die weite Pforte vor und hobelte das Becken des Bodensees bis auf eine Tiefe von 250 Metern aus. Formten Milliarden von Jahren das Antlitz unserer Erde, erhielt der Bodensee erst vor etwa 20 000 Jahren nach dem Abschmelzen der Gletscher seine heutige Gestalt. Zusammen mit dem fjordähnlichen Überlinger und dem flachen Untersee erreicht der gesamte Seespiegel eine Länge von etwa 69 Kilometern. So groß ist die

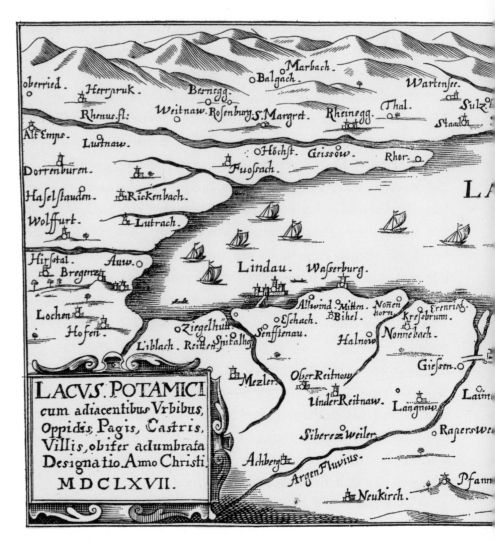

Wasserfläche, daß auf ihr vor 50 Jahren noch die ganze Menschheit, Kopf an Kopf, Platz gefunden hätte. Und so lang ist der See, daß man mit dem schärfsten Fernrohr ein in Bregenz abfahrendes Schiff von Konstanz aus nicht sehen könnte, ist es doch durch die Krümmung der Erde weit unter die Sichtlinie hinuntergerückt. Würde man den 252 Meter tiefen See auspumpen, gediehen in dem entstehenden Kessel wie am Lago Maggiore Palmen, Zedern, Myrte und andere subtropische Pflanzen. Der Rhein, der zusammen mit etwa 10 anderen Zuflüssen dem See bis zu 2000 Kubikmeter Wasser in der Sekunde zuführt, bedürfte immerhin zweier Jahre, das entstandene Becken wieder zu füllen. Er, der Vater des Sees, ist auch sein Vernichter. Wie Geologen errechneten, wird der Strom in 12 000 Jahren mit seinem Geschiebe, Schlick und Geröll, den Bodensee aufgefüllt und damit Europa seines Herzens beraubt haben. Viele Generationen werden es also noch

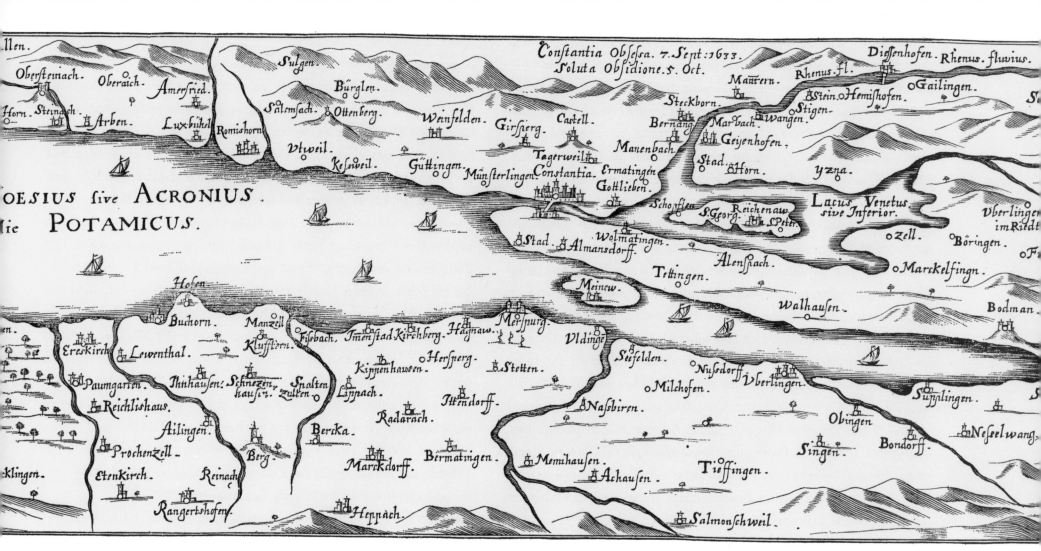

verfolgen können, wie der Rhein bei *Altenrhein* in den See stürzt, wie er die Wasser, ohne sich mit ihnen zu vermengen, etwa 1500 Meter vor sich herschiebt, dann plötzlich im »Rheinbrech« wie ein Wasserfall in die Tiefe stürzt, um dann an der Meersburger Küste entlang Konstanz zuzufließen. An der sich stets weiter vordrängenden Rheinmündung konnte sich keine Stadt bilden. Erst zu Füßen des seebeherrschenden Pfänders fand das österreichische *Bregenz* einen sicheren Platz. Mit den Blumenrabatten seiner Seepromenade und einem Riesenbukett aus den Fahnen vieler Nationen heißt die durch ihre auf dem See stattfindenden Festspiele weltbekannt gewordene Stadt uns willkommen. Nach kurzer Einkehr in der barocken Seekapelle unterrichten wir uns zuerst einmal in dem am Kornmarkt gelegenen Vorarlberger Landesmuseum über das, was der Zipfel Österreichs am See an Kunst und Kultur zu bieten hat. Dann steigen wir auf steiler Gasse empor zur Oberstadt mit ihren

Mauern und Wehrgängen, statten dem historischen Rathaus mit seiner malerischen Westfront einen Besuch ab und begeben uns in den Schutz des vierkantigen Martinsturmes, der mit seiner wuchtigen Holzhaube, dem Wahrzeichen der Stadt, über den alten Markt weit ins Land schaut. Dieser Turm ist so wohlbeleibt, daß Graf Wilhelm von Montfort 1361 eine besuchenswerte Kapelle darin einbaute. Sie steht mitten im alten Festungsbezirk, aus dem auch der Turm der Stadtpfarrkirche emporwächst. Um das von steilen Bergen umschlossene Rheintal, den blinkenden See und das zweistufige Bregenz in seiner Gesamtheit überblicken zu können, sollten wir uns von einer der schmucken Gondeln der Schwebebahn auf den Pfänderrücken hinauftragen lassen oder doch wenigstens den Gebhardsberg besteigen und die auf einem Nagelfluhsporn sitzende Burgruine Hohenbregenz und ihre gepflegte Gaststätte besuchen.

Dabei können wir den sogenannten »Waldlehrpfad« benützen, an dem viele Bäume und Sträucher durch Beschriftung Auskunft geben über den Wald und seine vielfältige Tierwelt. Bald schimmern die altersgrauen Umfassungsmauern der Burg Hohenbregenz durch die Bäume. Die gewaltige Ringmaueranlage und ihre Kapelle erinnern an den hier oben 946 geborenen Grafensohn St. Gebhard, der als Bischof zu Konstanz den Großen des Bodenseeraumes zugerechnet werden muß. Von hier oben über das berühmte »Bödele« in die Bergwelt des Bregenzer Waldes zu blicken oder das Farbenspiel des sinkenden Tages, die leuchtenden Wolken und ihr Spiegelbild auf dem Wasser verglühen zu sehen, zählt zum Schönsten, was der See zu bieten vermag. Spielzeugkleine Schiffe gleiten, eine Silberschleppe hinter sich herziehend, in blaue Buchten, die tief in das Grün der Ufer hineingreifen und den Blick hinführen zu den verblauenden Hegaubergen und der dunklen Kontur des Schwarzwaldes. Vor einer dieser Buchten fordert die Inselstadt *Lindau* zur Bleibe auf. Zusammen mit dem »lieben Augustin« wollen wir die alten Gassen durchwandern. Wir sehen dieses liebenswerte Geschöpf des Dichters Horst Wolfram Geißler in den überwölbten Brotlauben auf den als Brotbänken benutzten Kellerhälsen sein Vesper einkaufen und verzehren es mit ihm bei einem guten Viertele in einer der behaglichen Wirtsstuben. Frischgestärkt durchschreiten wir die von der Renaissance geprägte Hauptstraße, blicken zu den altertümlichen Speichergiebeln und den malerischen Erkern empor, und stehen sinnend vor dem ein wenig von der Straßenfront zurücktretenden Rathaus mit seiner an die Flüchtigkeit der Zeit gemahnenden Uhr. Am Marktplatz, dem »Festsaal« Lindaus, grüßt ein Schild mit dem Namenssymbol der Stadt, der Linde, von dem mächtigen Bürgerhaus »Cavazzen« und weist hinüber zu dem plätschernden Neptun-Brunnen und den beiden Kirchen, die dem Platz südlichen Glanz verleihen. Zusammen mit den zwei Kirchtürmen setzt der aus dem 11. Jahrhundert stammende, heute zur Kriegergedächtnisstätte umgewandelte Turm von St. Peter, und ebenso der malerische Rundturm des »Körbler« gewichtige Akzente in das verwinkelte Gewirr alter Häuser. Als großer Einsamer beherrscht der Mangturm das von den aus allen Richtungen einlaufenden Schiffen belebte Hafenbecken. Stolz blickt er hinunter auf den ihm bis ans Knie reichenden Leuchtturm und den Bayrischen Löwen, der, von Möwen umflügelt, sich auf der Mole sonnt. Beim Klang der auf der Hafenpromenade musizierenden Kapelle scheint er bereits im prallen Mittagslicht eingeschlafen.

Uns aber lockt es, mit dem Boot zu dem vielbesuchten und eleganten *Bad Schachen* zu fahren, nicht um dort wie manche heiratslustige junge Dame den Ehepartner zu finden, sondern um von der Plattform des Hotelturmes das einmalige Zusammenspiel von Wasser, Bergen und der Inselstadt Lindau zu genießen. Nehmen wir das Kursschiff nach Konstanz, rückt bald hinter Bad Schachen die Idylle von *Wasserburg* in unseren Gesichtskreis. Schnell die Kamera gezückt! Denn ein Bild von solcher Geschlossenheit bietet sich uns kaum noch einmal am See. Der Zwiebelturm der Kirche, Pfarrhaus, Schloß, und die sich um die Spitze der Halbinsel legende Friedhofsmauer sind es wahrlich wert, nicht nur auf dem Film, sondern auch im Herzen festgehalten zu werden. Überspringen wir getrost ein Schiff, um uns in eine der Nischen der vom Kloster St. Gallen um den Kirchenbezirk errichteten Wehrmauer zu setzen, dem Anprall der Wellen zu lauschen, oder dem Fischer zuzusehen, wie er seine Angel ins Wasser senkt und mit nachahmenswerter stoischer Ruhe darauf wartet, bis ein Felchen, ein Barsch, eine Trüsche oder ein anderer Fisch der 35 im Bodensee vorkommenden Arten anbeißt. Ein blitzschneller Ruck der Angel, ein graziöser Schwung, und schon zappelt die silberblitzende Beute im Ufersand.

Nicht so selbstbewußt wie Wasserburg zeigt sich das noch zu Bayern gehörende *Nonnenhorn*. Doch es hat es nicht nötig, sich mit seiner spätgotischen, wertvolle Kunstschätze enthaltenden St.-Jakobus-Kapelle so schamhaft hinter schattenden Bäumen zu verstecken. Es hätte allen Grund auf seine malerischen Häuser und den im Winter von 1880 von dem See-Eis aus der Tiefe des Wassers aufs Land gesetzten Findling stolz zu sein, der ebenso viel bewundert wird wie das moderne Gotteshaus. Auf die lichtdurchfluteten Fenster bannte der Künstler den Sonnengesang des hl. Franz von Assisi: »Schwester Sonne« und »Bruder Mond«, Wind und Wasser dienen als Boten der Natur der Verherrlichung Gottes.

Eine Bucht öffnet sich bei *Kreßbronn*, wo das Dröhnen der Niethämmer der Bodanwerft nicht so recht zu dem in Blüten versinkenden Dorf passen will.

Langenargen, sehr bekannt auch durch das Institut für Seenforschung, trägt in seinem Namen deutlich jenen des Flusses Argen, der im Allgäu entspringt und nach einem »argen« oder deutlicher gesagt, nicht immer harmlosen Lauf, bei seiner Vereinigung mit dem Bodensee jene Kiesbank anschwemmte, auf der sich der uralte, langgestreckte Ort mit seiner sehenswerten Kirche und dem einstigen Schloß der Grafen von Montfort ansiedeln konnte. Leider wich die auf einer vorspringenden Halbinsel ruhende »malerische Ruine«, welche die Dichterin Annette von Droste-Hülshoff zu echter Begeisterung hinriß, einem in pseudo-maurischem Stil erbauten, heute als Kursaal dienenden Schlosse. Der Kurgast mag es vorziehen, im Kurpark sich zu ergehen, wir aber versenken uns lieber in der Kirche in die große Kunst des aus Langenargen stammenden Barockmalers Franz Anton Maulbertsch. Eine ähnliche Überraschung wie hier erleben wir auch in der viel zu wenig bekannten Kirche von *Eriskirch*, einem wahren Schatzkästlein, angefüllt mit wertvollen Plastiken verschiedener Epochen, farbsprühenden Glasgemälden und alten Wandmalereien voll einzigartiger Aussagekraft.

Das nahe *Friedrichshafen* ist nicht umsonst in den letzten Jahrzehnten zum Schaufenster schwäbischen Fleißes und schwäbischer Tüchtigkeit geworden. Hier an der Stelle, wo der Bodensee mit 14 Kilometern seine größte Breite erreicht, laufen aus allen Richtungen die Schiffslinien zusammen. In zwei Bahnhöfen wird verfrachtet, was die Stadt selbst und ihr industriereiches Hinterland an Gütern produzieren. Deutlich zeigt sich die wirtschaftliche Potenz Friedrichshafens bei der alljährlich wiederkehrenden Internationalen Bodenseemesse, der IBO, die zu einem europäischen Begriff wurde. Auch mit der vielbesuchten, seit Jahren bestehenden »interbootmesse« weiß die Zeppelinstadt alle anzusprechen, die mit dem Boot das Wasser erobern, es intensiv erleben, oder noch besser *auf* ihm leben wollen. Wer wäre nicht angesprochen von den großen und kleinen Schiffen, die von Herstellern aus vielen europäischen Ländern in den großzügig gestalteten Ausstellungshallen zum Kaufe angeboten werden! Und wer vermöchte es auszuschlagen, solch ein Schiff zur Probe selbst einmal zu steuern, und auf einer Fahrt im Vorführungshafen das Für und Wider abzuwägen. Etwas schwieriger ist es allerdings, die schnittigen Segelboote zu erproben. Es bedarf dazu auch des günstigen Windes. Nur so läßt sich dieses beglückende Gefühl schwerelosen Schwebens zwischen Wasser und Luft, dieses lautlose Gleiten zwischen Wirklichkeit und Spiegelbild voll

auskosten. Mehr und mehr wird ja das Bild des interboot-Hafens von Segeln, schaukelnden Masten und farbigen Spinnakern beherrscht. Nicht umsonst ließ in dieser gewerbefleißigen und allem Neuen offenen Stadt Graf Zeppelin seine Luftschiffe bauen, die, als Wunderwerke der Technik bestaunt, in majestätischem Flug zum erstenmal Ozeane und Kontinente überquerten und damit die Erde kleiner werden ließen. Es konnte nicht ausbleiben, daß dieses Industriezentrum den Bomben im zweiten Weltkrieg größtenteils zum Opfer fiel. Nichts blieb mehr von jenem bereits 839 genannten »Buchhorn«, dem einzigsten Sitz der Argengaugrafen übrig, und auch das alte Hofen ist spurlos verschwunden. Unter dem ersten württembergischen König mußte es bereits 1810 seinen Namen opfern und verschmolz mit Buchhorn zu der dynamischen Hafenstadt »Friedrichshafen«. Welch ein Glück, daß die im Jahre 1695 von Christian Thumb erbaute Schloßkirche heute wieder trotz schwerer Kriegsschäden ihre beiden Zwiebeltürme über alte Bäume und die im Jachthafen vertäuten Segelboote emporreckt. Auch im Innern durchstrahlt die alte Pracht des Wessobrunner Stucks den festlichen Raum.

Während wir unsere Fahrt gen Westen fortsetzen, verläßt gerade ein Trajektschiff den Hafen und trägt über die fast uferlos erscheinende Wasserfläche seine Last hinüber nach dem schweizerischen Romanshorn. Heiser schreiende Möwen umziehen unser Schiff, haschen im eleganten Flug die ihnen zugeworfenen Brotstückchen und begleiten uns entlang dem Ufer, das bei *Manzell* mächtigen Industriewerken Raum geben mußte. Die von einem »Seehasen« schlicht und einfach allesamt »Taucherle« genannten Wasservögel, die Bläßhühner, Stockenten und wie sie sonst heißen mögen, halten respektvoll Abstand von unserem Schiff. Nur die Taucherenten stürzen sich unbekümmert kopfüber in die Flut, und schnellen gerade dort, wo man es am wenigsten erwartet, wie Korken wieder aus dem Wasser. Mit ihrem Spiel verkürzen sie uns die Fahrt nach *Fischbach*, über dem der breitschulterige Gehrenberg mit seinem Aussichtsturm aufsteigt und ebenso das den Fürsten von Fürstenberg gehörende Renaissanceschloß Heiligenberg. Dort oben in dem riesigen Rittersaal, einem der schönsten seiner Art, möchte man einmal ein Fest erleben. Im Schein der Kerzen würde das Zierwerk an der freihängenden Prunkdecke: die Ritter, Hofdamen, die Mohrenköpfe und Hermen zu neuem Leben erwachen. Blicken von der einen Längswand des Saales Grafen, Fürsten und adlige Damen mit ernsten Mienen aus goldenen Rahmen, schaut auf der Gegenseite eine zum Gemälde gewordene Landschaft mit Dörfern, Wiesen, Wäldern und See samt der darüber aufwachsenden Alpenkette zu den hohen Fenstern herein. Wahrlich, der 1598 verstorbene Graf Joachim hat sich mit dem Umbau des Schlosses selbst ein bleibendes Denkmal gesetzt. Im Geiste treten wir durch das den älteren Bauteilen vorgeblendete Schloßportal und blicken von den wie Theaterränge übereinander liegenden Bogengängen aus in den arkadenumsäumten Schloßhof. Neben der den Renaissance-Menschen eigenen Lebensfreude begegnen wir aber auch dem Tod drunten in der mit edlen Kunstwerken ausgestatteten Fürstengruft.

Der Klang der Schiffsglocke am weit in den See hinausragenden Landungssteg von *Immenstaad* schreckt uns aus unseren Wünschen und Träumen auf. Kurze Befehle von der Kommandobrücke des Schiffes hinunter in den heißen Maschinenraum, ein paar Drehungen am Steuerrad – und schon hat das weiße Schiff an den bemoosten Pfählen der Duckdalben festgemacht. Über den herangeschobenen Landungssteg drängen neue Gäste in das leise schwankende Schiff.

Immenstaad – genießerisch sagen wir dieses Wort leise vor uns hin. Klingt es darin nicht wie Summen von Bienen in dem großen, um das Dorf gebreiteten Obstgarten? Mag auch hier die Landschaft dramatische Akzente vermissen lassen, erinnert doch Schloß *Helmsdorf* an den aus langsam verarmendem Adelsgeschlecht stammenden »Ritter von Helmsdorf«, weiland Chorherr von Bischofszell, der in dieser lieblichen Gegend zum Minnesänger wurde. Das zweite bei Schloß Immenstaad gelegene, auf das Kloster Salem zurückgehende Schloß *Kirchberg*, gepriesen von Graf von Platen als »ungemein heiter am See gelegen«, wurde – nicht gerade zu seinem Vorteil – in verschiedenen Epochen erweitert und umgestaltet. Aber was tut's! Das Speckvesper schmeckt dennoch beim hier gedeihenden Domänenwein und zu dem würzigen Bauernbrot. Sollen wir über Rebhänge und durch einen parkähnlichen Wald zum Seeufer hinuntersteigen, um bei dem altmodischen Badehäuschen ein Bad zu nehmen, oder sollen wir zu Immenstaad in der wehrhaften Kirche lieber das wertvolle Chorbogenkreuz oder eine jener stillen Seemadonnen bewundern, in denen sich die ganze Anmut der Landschaft verkörpert?

Der Wein bleibt nun unser Begleiter bis nach *Hagnau*. Ganz in Reben gebettet, blickt der seltsam geformte Kirchturm über die zu einer Schlaufe aufgebundenen Rebstöcke und hinüber zu den barockgeschwungenen Giebeln der noch erhaltenen Klosterhöfe von Weingarten, Salem, Schussenried und Einsiedeln. Als der Schriftsteller und Pfarrer Heinrich Hansjakob hier sein Amt antrat, war der Hagnauer Wein allerdings keiner von den besten. So gründete der Pfarrherr – wohl auch im eigenen Interesse – den ersten Winzerverein, um die Qualität des Rebensaftes zu verbessern.

Im teilweise gotisch eingewölbten Kircheninnern suchen wir heute vergeblich die aus dem 16. Jahrhundert stammende Büste des hl. Johannes. Seit der vorletzten Seegfrörne im Jahre 1830 stand sie bis 1963 auf dem ihr angestammten Platz. Als der See nach 130 Jahren wieder vollständig zufror, holten die Münsterlinger in feierlicher Prozession mit fliegenden Fahnen das Bildwerk über das große Eis auf das Schweizer Ufer und stellten es in den üppigen Barockhimmel ihrer Kirche. Die Seegfrörne: Immer wieder hat dieses säkulare Ereignis die Menschen bewegt, friert doch die gesamte Fläche des Sees nur ein- oder zweimal in einem Jahrhundert vollständig zu, zum dreiunddreißigsten Male innerhalb von 1100 Jahren im Jahre 1963. Dramatisch war der Kampf um das Offenhalten der wichtigsten Fahrrinnen, erschütternd die Rettungsaktion für die einfrierenden Wasservögel! Das Eis blieb Sieger. Das Wunder der glitzernden Eisbrücke zwischen Deutschland, Österreich und der Schweiz zog Ungezählte an den See. Die auf dem Eis erstellten Buden lockten mit heißen Würstchen, Lebkuchenherzen und farbigen Luftballons: ein Bild, an dem Pieter Brueghel seine Freude gehabt hätte. Noch mehr aber reizte es, den Zollwächtern ein Schnippchen zu schlagen und aus der jetzt so nahe gerückten Schweiz ein Päckchen Kaffee unverzollt mit nach Hause zu bringen. Mancher mag, wenn er der endlos scheinenden Reihe der als Wegmarken dienenden Tannenbäumchen folgte, jenes Reiters gedacht haben, der zwar heil über den zugefrorenen See gekommen war, dann aber beim Gedenken an die überstandene Gefahr, tot vom Pferde sank. Bis in die erste Märzwoche hinein feierte, kampierte und tanzte man auf der glitzernden Fläche. Dann endlich riß der von wetterfühligen Menschen so gefürchtete Föhn die Wolkendecke auf, ließ unter seinem heißen Atem das Eis hinschmelzen und zauberte darauf die surrealistischen Ornamente spiegelnder Priele und blauschimmernder Wasseradern. Wie lange wird nun St. Johannes warten müssen, bis ihn die Hagnauer wieder in ihre Kirche zurückholen?

Bald hinter Hagnau steigt das Ufer langsam an, bis es als Steilhang zum Postament einer zum Denkmal gewordenen Stadt aufwächst: *Meersburg*! Wahrlich, dieses Ensemble von verschachtelten Häusern, der glanzvollen Barockbauten des Neuen Schlosses und der turmbewehrten Dagobertsburg verdient dieses Ausrufungszeichen. Hier kommen der Romantiker, der Freund der Geschichte und der Kunst genauso auf ihre Rechnung wie der Weinkenner, der den süffigen Weißherbst gerne an der Quelle trinkt. Bacchus' Gabe ist ebenso wichtig, um dieses Stadtkleinod richtig kennenzulernen, wie ein Rundgang durch enge Gassen, auf steilen Stiegen, durch Portale und schattende Torbogen, in brunnendurchrauschte Höfe und auf Terrassen, die aus der Gassenenge hinausweisen in die blaue, von der Zackenlinie der Alpen begrenzte Weite. Welch eine glückliche Fügung, daß der Fürstlich Fürstenbergische Oberjägermeister a. D., Joseph Freiherr von Laßberg, die gewaltige Meersburg erwarb und so vor dem Abbruch bewahrte. In ihren Mauern fand die Schwägerin des Gelehrten, Büchersammlers und Forschers, Annette von Droste-Hülshoff, die »größte deutsche Dichterin« jene Bleibe, deren Atmosphäre sie zu ihren unvergänglichen Gedichten anregte. »In Räumen schwer und grau« konnte sie im Fenster sitzend den Sturm »gleich einer Mänade im flatternden Haar wühlen lassen« und des ungetreuen Freundes Levin Schücking gedenken, der als Bibliothekar mit auf die Burg gekommen war. Wir wandern an dem größten Mühlrad Deutschlands vorüber zum Alterssitz der Dichterin, dem rebenumkränzten Fürstenhäuschen und dann zum Friedhof, wo sie zusammen mit Laßberg und Dr. Franz Anton Mesmer, dem Entdecker des »tierischen Magnetismus« unter dem Grabstein, geziert mit der himmelwärts flügelnden Barbe, für immer schläft.

Dem gotischen Meersburg ließ der baufreudige Konstanzer Fürstbischof, Kardinal Damian Hugo von Schönborn durch Balthasar Neumann jene prunkvolle Residenz anfügen, deren Treppenhaus und Säle heute wieder in altem Glanze erstrahlen. Hier lachendes Barock und drunten in der dem St. Nikolaus geweihten Unterkirche ernste Gotik. Lockte es noch so sehr, mit einem der in rascher Folge verkehrenden Fährschiffe nach Konstanz überzusetzen, bleiben wir doch der eingeschlagenen Route treu und machen erst wieder in *Unteruhldingen* halt, um dort durch die liebevoll gestalteten Rekonstruktionen der Pfahlbauten uns in die Lebensweise der vor 3000–4000 Jahren hier siedelnden Menschen hineinzudenken. Was tut's, wenn die Gelehrten heute das Vorhandensein solcher Siedlungen *im* Wasser bezweifeln! Wir fahren mit den Urbewohnern auf schlankem Einbaum durch den ins Wasser gerammten Palisadenwall und blicken ihnen in den strohgedeckten Hütten über die Schultern, wenn sie die heimgebrachte Beute verteilen, auf primitiver Töpferscheibe ihre Gefäße formen, oder durch eine rasche Drehung des Stabes das lebenswichtige Feuer erzeugen. Urtümlich wie diese Hütten ist auch die Landschaft um *Seefelden* geblieben, wo im Schilfgürtel an der Mündung der Deggenhauser Aach ungezählte Wasservögel eines ihrer letzten Reservate fanden.

Welch ein Kontrast zwischen den Pfahlbauten und der marianischen Wallfahrtskirche von *Neu-Birnau*! Nicht umsonst nannte Abt Jakob Steirer diese auf einer Hügelwoge emporgetragene spätbarocke Kultstätte »elegantissima ecclesia«. In diesem Gotteshaus verschmelzen Natur und Menschenwerk zu einer organischen Einheit, werden doch hier die sich durchdringenden Elemente der Architektur und die formgewordene Musik der Malerei zum verklärenden Spiegel einer himmlischen Landschaft. Dem Vorarlberger Baumeister Peter Thumb gelang es zusammen mit dem kongenialen Stukkateur Anton Feuchtmayer, seines Schülers Johann Georg Dirr und dem Maler Gottfried Bernhard Götz in dem Ein-Raum der Kirche die in sich beruhende Einheit Gottes zu symbolisieren. Kein Wunder, wenn ungezählte Brautpaare hier den Bund der Ehe schließen, verspricht ihnen doch der am Bienenkorb naschende »Honigschlecker« gewissermaßen den ersehnten »Honigmond«.

Bevor wir unsere Fahrt fortsetzen, noch rasch hinüber zur Mutter der Birnau, nach Salem, einer jener großartigen Pflanzstätten christlicher Kultur. Die von Franz Beer 1697 begonnenen Konventsgebäude glichen eher einem Barockschloß als einem Kloster, überragte nicht der mächtige Dachreiter des nach zisterziensischer Regel erbauten Münsters die weitläufigen Bauten und Höfe. Fiel auch dieses Kloster der Säkularisation zum Opfer, blieb doch sein Geist in der von dem kunstsinnigen Markgrafen von Baden gegründeten Schloßschule erhalten, die unter ihrem einstigen Leiter, Kurt Hahn, Weltruhm erlangte.

Doch wieder zurück zum See!

Hingebreitet zu Füßen des Birnauer Hügels entläßt der mit einem schmiedeeisernen Türmchen gekrönte Gutshof Maurach durch ein Tor die Uferstraße nach *Überlingen*. Diese Stadt sollte man eigentlich zuerst vom Turm des großartigen Nikolausmünsters erleben. Von hier aus geht der Blick hinunter auf das gotische Steinzelt des Ölbergs und die Hofstatt mit dem Susobrunnen zum breithingelagerten Gredhaus und dem Landungssteg, wo gerade ein Motorschiff anlegt. Rückwärts blickend, entdecken wir an dem von einem Steinkreuz überragten Münsterplatz das reichverzierte Renaissanceportal der ehemaligen Stadtkanzlei und über den engbrüstigen Häusern den Staffelgiebel des Reichlin-Meldeggschen Patrizierhauses. Im Vordergrund dieses weiträumigen Rundbildes drängt sich der schlanke Chor der Franziskanerkirche zwischen die Bürgerhäuser mit ihren malerischen Dachgaupen. Zwar dürfte das romanische Gunzohaus nicht in jene Zeit zurückreichen, in welcher der bereits im 7. Jahrhundert bestehende Herzogssitz als »villa publica Iburinga« ins Licht der Geschichte rückte. Die Tore und Mauern der mittelalterlichen Stadt lassen auch heute noch ihre Geschichte deutlich ablesen. Manch harter Kampf war zu bestehen, und manche Drangsal hatten die wackeren Bürger im Laufe der Zeit zu erleiden.

Nicht nur der seit 1414 im Wappen der Stadt prangende Löwe hält die Erinnerung an bewegte Zeiten fest, mehr noch die seit dem Dreißigjährigen Krieg abgehaltene »Schwedenprozession« und der von altertümlich gewandeten Männern ausgeführte »Schwertletanz«. An solch festlichen Tagen tragen die Bürgersfrauen die mit Gold und Silber durchwirkten Radhauben wie einen Heiligenschein auf dem Kopfe und einen wertvollen Seidenschal um die Schultern. Dann erhebt auch die fünfhundert Jahre alte, 177 Zentner schwere Osanna-Glocke ihre Stimme zum Lobpreis der Stadt und des hochragenden Münsters. Jörg Zürn fügte dem gotischen Bau den Hauptaltar ein, der wahrlich zum besten gehört, was die Renaissance in deutschen Gauen an Holzplastik schuf. Diesem Werk ebenbürtig ist auch der fast sakral wirkende getäferte Ratssaal mit den lebensvollen Schnitzereien des Meisters Jakob Rus. Der reich skulptierte Raum dokumentiert das Selbstbewußtsein der Bürger einer freien Reichsstadt, die im Pfennigturm ihre eigene Münze besaß, und die es sich leisten konnte, das mit einer Reihe spitzbogiger Fenster auf die Hofstatt blickende Rathaus würdig auszugestalten. Anknüpfend an die unter Kaiser Maximilian hier üblichen Dichterkrönungen, verleiht die Stadt alljährlich in ihren Mauern den Bodenseeliteraturpreis.

Überlingen ist mehr als ein Museum: Es ist eine Kurstadt, Stätte aufblühender Industrie, ohne daß eines das andere ausschlösse. Genauso wenig steht das fastnachtliche Karbatschenknallen der Hansele im Gegensatz zu der von der Jugend vielbesuchten Nikolausandacht an den vorweihnachtlichen Tagen. Schafft die mächtige Klammer des größtenteils erhalten gebliebenen Mauergürtels diesen inneren Zusammenhalt und dieses auf geschichtlichen Ereignissen beruhende Zusammengehörigkeitsgefühl, in das auch die Weingärtner-Siedlung, das »Dorf« mit einbezogen ist? Wo heute im tropisch anmutenden Stadtpark die Rabatten von Blumen überquellen, zog sich einst der in den Molassefelsen eingehaue Stadtgraben hin. Was er umschließt ist wert, »Badisches Nizza« genannt zu werden. Die Landschaft selber half durch tief eingeschnittene Tobel und Hohlwege mit, Überlingen zur uneinnehmbaren Festung zu machen. Am westlichen Ortsende zieht von der uralten, durch seine Fresken berühmten *Goldbacher Kapelle* der *Hödinger Tobel* zwischen haushohen Felsmauern, umsponnen von Grün, ins hochgelegene Hinterland, zu dem eine kühn angelegte Umgehungsstraße hinaufführt. Ganz nahe ans Ufer drängen sich die Reste der sagenumwobenen »Heidenhöhlen«, ebenso das langgestreckte *Sipplingen*. Der ehemals dort wachsende Wein muß sich keiner besonderen Wertschätzung erfreut haben, sagte man ihm doch nach, daß schon ein Viertele genüge, um ein Loch in den Magen zu brennen oder den fahrenden Scholaren die Löcher in den Schuhen zusammenzuziehen. Hingegen liefert das zwischen Meersburg und Hagnau gelegene Weingut Haltnau, das ausgerechnet vor langer Zeit eine Sipplingerin, das »edle Fräulein Wendelgard«, den Konstanzern vermachte, einen vielgerühmten Tropfen. Allerdings war die Schenkung an folgende Bedingung geknüpft: Der jeweilige »Ratsherr vom Dienst« mußte mit der durch einen Schweinsrüssel verunstalteten Dame gemeinsam aus einem silbernen Trog speisen und am Sonntag in einer »Scheese« ausfahren.

Ist es ein Zufall oder gar eine Ironie des Schicksals, daß man dem bei Sipplingen fast rein gebliebenen See das Wasser entnimmt, das wertvoller noch als der Rebensaft, heutzutage viele Städte unserer süddeutschen Heimat tränkt? Ganz in der Nähe des großen Wasserspeichers, beim vielbesuchten *Haldenhof*, hängen die Reste der Burg des um 1200 lebenden Minnesängers Burkard von Hohenfels wie ein Schwalbennest über dem Überlinger See und lassen uns einen Blick tun über den Bodanrück und sein Anhängsel, die Insel Mainau. Neue Reisewünsche werden wach. Doch erst heißt es noch *Ludwigshafen* zu durchqueren, das im hintersten Seezipfel als Sernatingen hinträumte, bis es Großherzog Ludwig von Baden zur Hafenstadt erhob. Dieses Unterfangen war jedoch nach Eröffnung der bei Radolfzell abzweigenden Bodenseegürtelbahn zum langsamen Absterben verurteilt. Das »Große Ried« – vor noch nicht so langer Zeit vom Bodenseewasser überspült – schiebt sich zwischen *Espasingen* und *Bodman* an das See-Ende. Dahinter wieder steile Berge, darauf die Zackenkrone der Ruine Altbodman, die eigentlich Neubodman heißen müßte im Vergleich zu der in der Nähe des heutigen Frauenbergs einst gelegenen älteren Burg. Wie die Sage erzählt, schlug im Jahre 1307 ein Blitz in die Feste und äscherte sie in so kurzer Zeit ein, daß keiner der Anwesenden dem Flammentod entging. Nur der jüngste Sproß der Familie wurde gerettet. Eine opfermütige Magd barg den Knaben in einem Kupferkessel und warf ihn aus der brennenden Burg. Damit blieb das Geschlecht der Bodman, eines der ältesten in deutschen Gauen, vor dem Aussterben bewahrt. Noch heute zeigt man in dem in einem prächtigen Park gebetteten Schloß das rettende Gefäß. Im idyllischen Dorf überraschen uns die uralte Kirche, eine originelle Zehntscheuer und ein malerisches Torhaus. Eine herrliche Aussicht auf den Überlinger See erwartet uns auf Schloß Frauenberg. Von dort geht es steil hinunter zum Wahrzeichen Bodmans, zum malerischen Fachwerkbau der »Gred«. Das neben dem Haus stehende Ausrufungszeichen einer Pappel sagt gleich den Sternchen im Baedeker: Aufgepaßt, hier ist ein besonders schöner Blick über den See. Wandere ein Stück weit an seinem Ufer entlang bis zu der fast alpin anmutenden, von Wasserstürzen durchrauschten Marienschlucht und mache dann Halt in *Wallhausen* oder in *Litzelstetten*. Dort liegt der Blütenteppich der *Insel Mainau* vor der Türe. Geh ohne Scheu über den neuen Steg, erweise dem 400 Jahre alten Schwedenkreuz als einem Kunstwerk von hohem Rang deine Reverenz und laß dich dann von der Blumenfülle der Mainau, dieser »Isola Bella« auf deutschem Boden überraschen!

Was ist aus diesem Kleinod geworden, seitdem die Komture des Deutschritterordens hier lebten. Schon der »alte Großherzog«, der 1853 die Insel erwarb, verpflanzte hierher die Zedern des Libanon, Palmen, Zitronen- und Orangenbäumchen und auch die aus Kalifornien stammenden Mammutbäume. Als die Insel dann durch Erbfall an den aus Schweden stammenden Grafen Bernadotte kam, entstanden um den mit weißen Marmorgenien geschmückten Rosengarten und um das von Bagnato erbaute Schloß Treibhäuser und immer neue Blumenrabatten, die vom Frühling bis zum Spätherbst hin ein wahres Blütenfeuerwerk erstrahlen lassen.

Man glaube ja nicht, der teilweise dichtbewaldete *Bodanrück* böte nichts Anziehendes! Wer schon nahm sich die Mühe, einmal zur Ruine *Kargegg* hinaufzusteigen? Die Sage von Hero und Leander hat hier ihr Gegenstück gefunden. Ein Fräulein von Kargegg stellte einst jede Nacht ein Licht in ihr Kammerfenster, um so dem heimlich Verlobten von der am anderen Ufer liegenden Haldenburg den Weg über das Wasser zu weisen. Unzählige Male hatte der Ritter schon die Flut durchschwommen, da blies in finsterer Gewitternacht der Sturm die richtungweisende Flamme aus und der vom Ziel abgekommene Schwimmer versank in den Fluten.

Wie wenige kennen auch das bereits 860 genannte Wasserschloß *Möggingen*? Wohlgeborgen hinter einem von Enten und Gänsen bevölkerten doppelten Wassergraben reckt sich der Torturm des Adelssitzes empor. Hier hat der Schloßherr, Nikolaus Freiherr von Bodman, der früher in Rossitten beheimateten Vogelwarte Asylrecht gewährt. Der Platz liegt für diesen Zweck besonders günstig, ziehen doch der Bodensee und die unbebauten Ufer des nahen Mindelsees viele Vogelarten an. In seinem unergründlich scheinenden Wasser gedeihen Seerosen und Rohrkolben und fühlen sich auch die urtümlichen Weller oder Welse geborgen. Man findet das Fleisch dieser oft sehr großen Fische jedoch immer seltener als Delikatesse auf den Speisekarten der Hotels von *Konstanz*.

Hier finden wir das »sonnendurchglänzte Paradeis«, über das der weitgereiste französische Schriftsteller Gérard de Nerval schreibt: »Es ist die am prächtigsten gelegene Stadt Europas, ein leuchtendes Siegel, das Nord und Süd, den Osten und Westen Europas verbindet.« Und er fährt fort: »Konstanz ist ein Klein-Konstantinopel an der Pforte eines mächtigen Sees, auf beiden Seiten des noch friedlichen Rheines gelagert.« Damit ist viel, aber doch nicht alles gesagt. Nerval hat zwar die einzigartige Lage, aber nicht die einmalige geschichtliche Mission der Stadt gekennzeichnet.

Welche Bedeutung Konstanz seit eh und je hatte, zeigt sich bereits in dem unter Constantius Chlorus im 3. Jahrhundert gegründeten Castell. So stehen die ehemalige Kirche St. Johann und der sogenannte »Domkeller« auf römischen Fundamenten. Kaiser und Könige kehrten seit Karl dem Großen immer wieder in dieser Stadt ein. Kaiser Barbarossa erklärte von hier aus den lombardischen Städten den Krieg und schloß mit ihnen auf dem beim »Malhaus« gelegenen »Friedenshof«, in der »Curia Pacis« im Jahre 1183, wieder Frieden. Nachdem die Stadt unter Barbarossas Sohn, Kaiser Heinrich VI., die Reichsfreiheit erlangt hatte, schwang sie sich schließlich zum Haupt des Bundes der Reichsstädte am Bodensee auf. So fiel die Wahl nicht von ungefähr auf Konstanz, hier das weltbewegende Konzil von 1414–1418 abzuhalten. Wie man damals 33 Kardinäle, 5 Patriarchen, 47 Erzbischöfe, 240 Bischöfe, 124 Äbte sowie 18 000 Priester und Mönche samt den weltlichen Herren, angefangen mit König Sigismund bis hinunter zu den Vertretern des niederen Adels mitsamt ihrem ganzen Gefolge, also insgesamt etwa 60 000 Menschen in dieser verhältnismäßig kleinen Stadt unterbrachte und verpflegte, ist uns ein Rätsel, heute würde man sagen: eine organisatorische Meisterleistung. Viele der noch vorhandenen Bauten gehen in jene bewegten Tage zurück. So läßt Ulrich von Richental in seiner reich bebilderten Chronik König Sigismund aus einem Fenster des Hauses zum »Hohen Hafen«, einem imponierenden Vorläufer unserer heutigen Hochhäuser, blicken. Der in der Wessenbergstraße gelegene »Hohe Hirschen« beherbergte den Florentiner Kardinal Zarabella, das sechsgeschossige »Hohe Haus«, eines der hohen Steinhäuser des Mittelalters aus dem 14. Jh., den Burggrafen Friedrich von Zollern. Der den Hafen von Konstanz beherrschende gewaltige Bau ist fälschlicherweise unter dem Namen »Konzil« in die Geschichte eingegangen. Dabei diente dieses Gebäude zum Stapeln von Waren. Während das eigentliche Konzil im Münster tagte, fand in dem Konziliumsgebäude lediglich die Papstwahl statt. Heute erklingen in dem von altem Gebälk abgestüzten Saal die vielbeachteten Darbietungen des Bodensee-Symphonie-Orchesters und die Konzerte der Konstanzer Internationalen

Musiktage, die den Namen der Stadt in aller Welt bekannt machen. Ein anderes, vielbewundertes Gebäude reicht zwar nicht bis zum Konzil zurück, hat aber dafür ein wechselvolles Schicksal. Als Zunfthaus »Zur Salzscheibe« 1594 erbaut, wurde es später »Lateinschule«, dann Stadtkanzlei und schließlich Rathaus. Von außen schlicht gestaltet, zeigt dieses seine »inneren Werte« erst in dem arkadenumsäumten Innenhof. Hier begegnen wir echter florentinischer Renaissance, die sich wohltuend von jener des Konstanzer Bahnhofs-Palazzos unterscheidet. Ein zweites Mal begegnen wir dem aus dem Süden importierten Stil in dem 1424 erbauten, von Oswald von Wolkenstein bereits genannten Gesellschaftshaus der Konstanzer Patriziergeschlechter, dem »Haus zur Katz«, heute städtisches Archiv. Damit sind wir bereits in den Bannkreis des Wessenberghauses gekommen, das der geistvolle Menschenfreund, der Bistumsverweser Freiherr von Wessenberg bewohnte. Hinter dem heute als Museum dienenden Gebäude wächst der erst im vorigen Jahrhundert in gotisierendem Stil vollendete Münsterturm auf. Er blickt hinunter auf das steinerne Filigran des teilweise erhaltenen Kreuzgangs und auf den seltsamen Rundbau der Heiliggrabkirche mit seinem, der geheiligten Stätte in Jerusalem nachgebildeten Heiligen Grab.

Hoch reckt sich der Turm auch über das mächtige Schiff der nahen Stephanskirche, ebenso über den Barockbau der ehemaligen Dompropstei und über den Rheintorturm. Als Kaiser Karl V. die zur Reformation übergetretene Stadt mit Waffengewalt dem alten Glauben zurückgewinnen wollte, hielt dieses Tor zwar dem Angriff der spanischen Truppen stand, doch mußte sich Konstanz schließlich dem Hause Habsburg unterwerfen. Damit begann der Niedergang der Stadt, der sich noch beschleunigte, als anfangs des 19. Jahrhunderts das länderverbindende Bistum aufgelöst und der Bischofssitz nach Freiburg verlegt wurde. Vielleicht war es ein Glück für Konstanz, daß es an dem damals einsetzenden industriellen Aufschwung nicht teilhatte. So blieben viele bauliche Schätze, wie das traditionsreiche, heute in ein Museum verwandelte Zunfthaus der Metzger »zum Rosgarten« oder das mit aufschlußreichen Fresken über Leinenweberei geschmückte »Haus zur Kunkel« unversehrt erhalten. Vor allem ließ man hinter dem reichgeschnitzten Doppelportal des Münsters den einmaligen Kunstbesitz unangetastet. Immer noch füllt die 1518 entstandene Renaissance-

Orgel mit ihrer Stimme den mächtigen Raum, dem spätere Einbauten wie das schwerelose Filigran der »Schnegg« genannten Treppe neben aller monumentalen Größe etwas Uneinheitliches verleihen.

Eine Sonderstellung unter den historischen Bauten nimmt das auf einer Insel gelegene frühere Dominikaner-Kloster, das heutige Insel-Hotel, ein. Wo unter den auf Doppelsäulen ruhenden Spitzbogenarkaden des Kreuzgangs der berühmte Mystiker Heinrich Suso oder Seuse meditierte, wandeln heute Gäste aus aller Welt. Auch die Studenten der noch jungen Universität durften sich hier eine Zeitlang dem Zauber einer traditionsreichen Vergangenheit hingeben. Als zwischen 1688 bis 1698 die aus Freiburg vertriebene Universität in dem an der »Laube« gelegenen »Lanzenhof« eine Zufluchtsstätte fand, hätte Konstanz es sich wohl nicht träumen lassen, einmal bleibender Sitz einer Hochschule zu werden. Erst als im März 1964 der von der Regierung des Landes Baden-Württemberg berufene Gründungsausschuß sich konstituierte, begann ein langgehegter Wunsch sich zu erfüllen! Der Grundstein zur Konstanzer Universität war gelegt. Und schon begannen die Gebäude emporzuwachsen, die einmal 5000 Studierenden die Möglichkeit geben sollen, unter Berücksichtigung größtmöglicher Rationalisierung jenen Wunschtraum echter »Universitas« zu erreichen und damit die völkerverbindende Aufgabe einer Grenzstadt verwirklichen zu helfen.

Damit greift man auf eine Tradition zurück, die sich auch auf dem Gebiete des Theaters zeigt. Welche Stadt gleicher Größenordnung durfte nach dem Kriege einen derartigen Aufschwung der Schauspielkunst erleben wie Konstanz! Noch stand ja das 1610 erbaute Schulgebäude des ehemaligen Jesuitenkollegs, das zum Theater umgestaltet nach dem Kriege die bedeutendsten Kräfte anzog. Ein anderes Gesicht zeigt uns Konstanz an der Uferpromenade, wo ein geflügelter Genius an den berühmten Sohn der Stadt, den Grafen Zeppelin erinnert, und sich die bunte Bilderschrift eines Blumenteppichs dem Denkmal zu Füßen legt.

Hier Charakterstudien zu machen, zählt zu den kleinen Freuden des Lebens. Ist nicht die Gelassenheit bewunderungswürdig, mit welcher der alte Herr, scheinbar in seine Zeitung vertieft, den an ihm vorbeiziehenden Strom modisch gekleideter junger Damen geflissentlich übersieht, und der nicht einmal die majestätisch an der Promenade vorüber-

gleitenden Schwäne bemerkt? Oder soll man den Mut einer sonngebräunten Shortsträgerin bewundern, die eine Gartenbank mit der Liege im Strandbad verwechselt? Spielende Kinder, besorgte Mütter, Eisverkäufer, Butterbrote verzehrende Fremde vereinigen sich zu einem Bild, an dem die Farbfotografen ihre Freude haben. Mit seinen eleganten Geschäften zieht Konstanz als Einkaufsstadt Kunden von nah und fern vor die wechselnden Bilder in ihren Schaufenstern.

Wählen wir für die Weiterfahrt eines der schmucken Rheinboote. Es trägt uns vom Hafen hinüber in den durch das Klärbecken des Bodensees geläuterten Strom. Vor einigen Jahren noch mußten die Rheindampfer ehrfurchtsvoll den qualmenden Schornstein senken, um angetrieben durch den Wirbel riesiger Schaufelräder die flachgeschwungene Brücke unterfahren zu können. Ärgern wir uns nicht, daß der uns »überfahrende« hektische Verkehr keine Notiz von uns nimmt. Dafür winken ein paar Badenixen um so freundlicher vom Rheinbad herüber. Der Rheintorturm, durch den einst Wagen und Karren von der uralten Klostersiedlung Petershausen in die Stadt rollten, grüßt freundlich vom Ufer, hingegen kehren uns die steinernen Figuren, die einst auf der alten Rheinbrücke thronten, heute von der Uferpromenade her ein wenig unhöflich den Rücken. Hinter dem letzten Bollwerk der alten Stadtbefestigung, dem Pulverturm, beherrschen gegenüber dem einstigen Klosterbezirk »Paradies« Industrieansiedlungen den etwa 150 m breiten Strom.

Nichts erinnert mehr an jene Brücke, die Bischof Eberhard II. 1250 hier erbauen ließ, um damit den Verkehr an der ihm feindlich gesinnten Stadt vorbeizulenken. Das Spiel des Lichts im Uferschilf, das Gefunkel auf den Schwertblättern der Iris und das Gegurre der Wasservögel verrät nichts mehr von jener zweiten Schiffsbrücke, die General Horn während des Dreißigjährigen Krieges hier schlagen ließ, um sein Fußvolk überzusetzen, während seine Reiter zu Stein am Rhein die Züricher Wachen überrumpelten.

Linkerhand gleitet das Fischerdorf *Gottlieben* heran. Am 24. 1. 1692 versanken dort ohne ersichtlichen Grund drei direkt am Rhein liegende Häuser. Wie die Sage erzählt, sollen die Fische die Fundamente der Häuser unterwühlt und sich so an den Fischern gerächt haben. –

Die beiden efeuumsponnenen Türme des Schlosses Gottlieben, heute Wohnsitz der bekannten Sängerin Maria della Casa, spiegeln sich im

Wasser und werden dabei zu heiteren Zerrbildern, die nichts mehr davon wissen wollen, daß ehemals in den Verliesen der Burg der Reformator Hus auf sein Todesurteil wartete und gleichzeitig auch Papst Johannes XXIII. um sein Hirtenamt bangte. Von der Gasthausterrasse des Waaghauses grüßen Gäste. Für Augenblicke erscheint der malerische Fachwerkbau der Drachenburg mit dem wuchtigen Erker und den zu Drachen geformten Wasserspeiern. Waren die Rheinufer bisher noch scharf abgegrenzt, scheinen wir nun eine Lagunenlandschaft zu durchfahren. Aus den Schilfwiesen des weiten Wollmatinger Riedes weht uns fauliger Ruch entgegen. Unweigerlich müßte hier das Motorboot auf Grund laufen, zwängen es nicht die vorsorglich in das niedere Wasser gesteckten Markierungsstangen zu einem unfreiwilligen Slalomlauf.

Trichterförmige Netze, die an windschiefen Pfählen hängenden Legböhren, künden uns von der harten Arbeit der Fischer. Im Winter, wenn die durch die fortschreitende Wasserverschmutzung seltener werdenden Felchenzüge zu wandern beginnen, senken die Fischer das von vier Mann bediente Riesennetz, »Segi« genannt, in die Flut, um so der wertvollen Beute habhaft zu werden. Nach streng festgelegtem Anteilrecht wird dann die zappelnde Fracht unter die zu einer Gemeinschaft zusammengeschlossenen Fischer verteilt und landet schließlich geräuchert, gesotten oder gebacken auf den Tischen der Feinschmecker. Auf alte Rechte sich stützend, findet in diesem Raum alljährlich die sogenannte »Belchenschlacht« statt, bei der früher bis zu 150 Jäger die Scharen der hier einfallenden Vögel abschossen. Heute verliert dieser »Sport« mehr und mehr an Ansehen. Hingegen verraten die am Ufer stehenden Schilfhütten, daß man beim »Nachtfall« mittels eines hölzernen Lockvogels gerne noch auf waidgerechtere Art die Wildenten erlegt.

Ein paar aufgescheuchte Bläßhühner mit dem typischen weißen Fleck auf der Stirn »laufen« flügelschlagend vor unserem Schiff davon und verschwinden im Röhricht des *Wollmatinger Riedes, einem der letzten Reservate seltener Pflanzen und Vögel. fast ausgestorben sind bereits die kaulquappenähnlichen Groppen, die einstmals in großer Zahl den noch reinen Untersee durchschwammen. Sie galten als Leckerbissen, ja sie gingen sogar in die Geschichte ein: Als der beim Konstanzer Konzil abgesetzte Papst Johannes XXIII. bei einem Fluchtversuch durch*

Ermatingen kam, sollen die ihm wohlgesinnten Dorfbewohner die Groppen so schmackhaft zubereitet haben, daß sich der hohe Herr durch ein Privileg erkenntlich zeigte. Seit dieser Zeit dürfen die Ermatinger inmitten der Fastenzeit, nämlich am Sonntag Lätare, ihre eigentümliche Groppen-Fastnacht feiern. Dabei führen die Fischer in einem prächtigen Umzug auch das Riesenmodell eines dickkopfigen Groppen mit sich, gefolgt von der von Pferden gezogenen Prunkkutsche des ehemaligen Vogtes von Salenstein und einer Schar buntkostümierter Kinder. Von den steil ansteigenden Bergen blicken die auf den Höhen verstreuten Adelssitze auf das reizvolle Schauspiel herab, die Schlösser Hard und Wolfsberg, ebenso das von Eugen Beauharnais, dem ehemaligen Vizekönig von Italien, einem Stiefsohn Napoleons I. und Bruder der Königin Hortense 1821 erbaute Eugensberg.

Damit sind wir bei der etwas verwickelten Familiengeschichte der »Napoleoniden« angelangt, der wir auf Schloß *Arenenberg* noch weiter nachgehen können. Hier ist nicht die Architektur das Ausschlaggebende, sondern die Hanglage des schlichten Bauwerkes und das Fluidum, dem sich keiner der ungezählten Besucher entziehen kann. In diesen Räumen, welche die Exkönigin Hortense von Holland, die Stieftochter und Schwägerin Napoleons I., nach dem Sturze des Korsen und ihrer Ausweisung aus Frankreich 1818 im französischen Landhausstil gestalten ließ, hat sich kaum etwas geändert, seitdem eine Madame Récamier und ein Alexander Dumas in diesem Musenhort zu Gaste waren. Es ist uns, als schritte die Königin selber neben uns her, durchwandern wir an einem stillen Tag die von lebendig gebliebener Geschichte erfüllten Räume: das einem kaiserlichen Kriegszelt nachgebildete Vestibül oder den See-Salon, den die Gemahlin Napoleons III., Kaiserin Eugénie, erweitern ließ, um von hier aus die drunten hinschwingenden Gestade mit ihren grünenden Buchten, die Landzungen und turmgekrönten Städtchen besser überblicken zu können. Kunstwerke von Rang, Erinnerungen geschichtlicher und menschlicher Art, wohin wir blicken. Arenenberg ist ein Museum des Herzens, in dem wir Aufstieg und Niedergang der Napoleoniden und mehr noch ihr Lieben und Leiden miterleben können. Das berühmte Bild von F. X. Winterhalter, das uns die schöne Gattin Napoleons III. auf dem Gipfel ihres Glücks zeigt, läßt noch nicht den Schmerz ahnen, den auch diese Frau zu fühlen bekam, als ihr Gatte den Kaiserthron verlor und ihr Sohn in Afrika im Kampfe fiel. Eugénie ist es zu danken, daß sie dieses schicksalsträchtige Haus, das sie für ihren kaiserlichen Gatten 1855 zurückerwarb, im Jahre 1906 als ein Vermächtnis besonderer Art dem Kanton Thurgau überantwortete und damit uns alle beschenkte.

Ist es ein Zufall, daß von dem Schloß der Blick zur *Insel Reichenau* hinuntergeht, wo im romanischen Münster ein anderer Herrscherraum endete, als dort Kaiser Karl der Dicke, der letzte Karolinger, beigesetzt wurde?

Das den Untersee im Zick-Zack überquerende Boot macht es uns leicht, von *Mannenbach* aus die *Insel Reichenau* zu erreichen. Eigentlich sollte man dazu den vom Festland führenden »Büßer-« oder Philosophenweg benützen, um auf der endlos scheinenden Straße die richtige Einstimmung zu dieser ehemaligen »Insel der Seligen« zu erhalten. Scheinen sich nicht in den am Wegrand stehenden Pappelriesen die großen Gestalten der Reichenauer Geschichte zu verkörpern? Am Anfang der stolzen Reihe steht Karl Martell, der dem Glaubensboten Pirmin im Jahre 724 den Stiftungsbrief überreichte und damit die Sintlazau oder die »riche auwe« zur Klosterinsel erhob. Es folgen Abt Waldo, der Vertraute Karls des Großen, der mit seiner Klosterschule den weltweiten Ruhm der Insel begründete, Walahfried Strabo, der Sänger der Gartenbaukunst, die Äbte Heito, Wetti und Tatto und – alle überragend – Abt Berno, unter dem im Beisein Kaiser Heinrichs III. der Münsterbau 1048 eingeweiht wurde. Noch ein letztes Aufleuchten klösterlichen Geistes unter dem Grafensohn aus Schwaben, Hermanus contractus, der Lahme, dem Universalgenie und Dichter des »Salve Regina«!

Dann erinnert uns die der Insel vorgelagerte Ruine Schopfeln an die Verweltlichung der Äbte und damit an den Niedergang des Klosters. Bereits im Jahre 1382 soll die Zwingburg durch die Konstanzer zerstört worden sein, aus Rache dafür, daß Abt Mangold einige in seine Gewässer eingedrungene Fischer blenden ließ. Der Zerfall des geistlichen Lebens war nicht mehr aufzuhalten. Die einzigartigen Handschriften, an denen Generationen von Mönchen schrieben und malten, wurden bereits zur Zeit des Konstanzer Konzils in alle Winde zerstreut. Unter Karl V. kam das Kloster an das Hochstift Konstanz und wurde 1799 endgültig aufgehoben. Mögen auch die meisten der zahlreichen Gotteshäuser auf der Insel verschwunden sein, blieben doch drei der bedeutendsten Kirchen erhalten. Als Gottesburg hält am Eingang zur Reichenau zwischen Obstbäumen und Gemüsegärten die wehrhafte St.-Georgs-Kirche von Oberzell seit 1100 Jahren Wacht. Der Künstler, der den im Innern erhalten gebliebenen Freskenzyklus um das Jahr 900 schuf, wollte die des Lesens Unkundigen mit den Wundern Christi vertraut machen. Dabei übertrug er die damals aufkommenden Buchmalereien mit Meisterschaft und verblüffender Realistik ins Monumentale. –

Reiche Au! Dieses Wort finden wir bestätigt, kommen wir auf unserem Gang durch die Insel vorbei an blinkenden Treibhäusern, wohlbestellten Frühbeeten und sinnvoll angelegten Bewässerungsanlagen. Durch ein Spalier fruchtschwerer Obstbäume und rotwangiger Tomaten schreitend, erreichen wir neben einer viele hundert Jahre alten Linde die einstige »Pfalz« zu Mittelzell. Wie ein an Land gezogenes Riesenschiff liegt das romanische Münster inmitten eines Gottesgartens und hebt den starken Mast seines Turmes über die Wipfel alter Bäume. Dem in der Barockzeit veränderten, von weitgespannten romanischen Rundbögen getragenen Raum gab man in jüngster Zeit seine kraftvolle Gestalt zurück, ebenso dem vielleicht von normannischen Schiffsbauern gestalteten gewölbten Dachstuhl. Aus dem Dunkel des romanischen Langhauses werden wir geradezu hineingerissen in die Lichtfülle des hochgotischen Chores. Unwiederbringlich verloren sind die Prachtpsalterien und Missalen, die Elfenbeinschnitzereien und Goldschmiedearbeiten bis auf das wenige, in der Schatzkammer erhalten gebliebene, das uns erst die Größe des Verlustes deutlich macht. Auf uns gekommen ist das goldene Kreuz mit dem Tropfen des heiligen Blutes. Ihm zu Ehren findet alljährlich am Montag nach dem Dreifaltigkeitssonntag die Heiligblutprozession statt. Dann wird die wertvolle Reliquie zusammen mit dem silbergetriebenen Markusschrein und anderen kostbaren Reliquiaren, gefolgt von der weiß uniformierten Bürgerwacht, in feierlicher Prozession durch die Insel getragen. In der Schatzkammer des Münsters können wir diese und andere Pretiosen von nahem betrachten, so den römischen Mischkrug aus weißem Marmor, der schon die Hochzeit von Kanaan gesehen haben soll, oder die vergilbten Pergamentblätter mit den notenähnlichen Zeichen der »Neumen«, die man für den Chorgesang auf der Reichenau entwickelte.

Wie recht hat das im Seitenschiff des Münsters hängende altersdunkle Bild, das uns zeigt, wie vor dem heiligen Kreuze Pirmins Schlangen und Kröten, Molche und Unholde die Flucht ergreifen und sich ins Wasser stürzen: Seither scheint auf der Insel ein ewiger Bund zwischen Natur und Mensch zu bestehen. Doch so fruchtbar das Eiland sein mag, in den Schoß fällt den Gärtnern und Fischern nichts. Unentwegt sehen wir sie bei der Arbeit, wandern wir westwärts zur Kirche von Niederzell. Mit ihren beiden romanischen Türmen grüßt sie schwesterlich durch die Schleier aufgespannter Fischernetze hinüber zu dem auf der Spitze der Halbinsel Höri liegenden Kirchlein von Horn.

Höri, welch seltsamer Name! Die Wissenschaftler führen ihn auf die *Zugehörigkeit* zum Bistum Konstanz zurück. Das Volk aber hat das Wesentliche dieser Halbinsel, die als stumpfer Keil zwischen den Unter- und Zellersee zur Reichenau vorstößt, in einer Sage erfaßt. Als am letzten Schöpfungstage Gott Vater noch etwas Erde übrig hatte, soll er sie an das Westende des Sees geschleudert haben. Dieses Stückchen Land mußte sein Meisterstück werden. Liebevoll umfuhr er die Kontur der Gestade, wölbte den Rücken des Schienerberges auf und drückte mit seinem Daumen Täler und Tobel in seine Flanken. Dann nahm er die Dörflein Gaienhofen, Hemmenhofen, Wangen und wie sie sonst noch heißen mögen, aus einer Spielzeugschachtel und stellte sie mitten hinein in den von ihm geschaffenen Blumengarten. Er vergaß nicht einmal die Zwiebel. Von seiner Hände Arbeit hochbefriedigt, rief er aus: »Jetzt hör i (auf).« So also, und nicht anders, ist die Höri zu ihrem Namen gekommen. Kein Wunder, wenn die Schriftsteller Ludwig Finckh und Hermann Hesse, ebenso die gefeierten Maler Erich Heckel und Otto Dix diesen Erdenwinkel zur Wahlheimat erkoren. Überblicken wir von der mit südlicher Vorhalle geschmückten Horner Kirche und ihrem idyllischen Friedhof aus den See und die ihn umarmenden Gestade, verstehen wir, weshalb der Großherzog von Baden bei einem Besuch zum Pfarrherrn sagte: »Wenn ich nicht Großherzog von Baden wäre, wollte ich Pfarrer von Horn sein.«

Da wir nun einmal schon auf der Höri gelandet sind, wollen wir den durch seine Petrefakten berühmten Öhninger Steinbruch besuchen, und über den Schienerberg nach Schienen wandern, einem uralten Dorf mit einer Kirche im Reichenauer Stil. Noch ein Stück höher hinauf, und wir stehen auf den Resten der um das Jahr 800 von Graf Schrot von

Schrotzburg erbauten Feste. Unter dem berüchtigten Werner von Schienen sank die Schrotzburg zum Raubritternest herab, von wo aus die Schnapphähne eine Zeitlang ungestraft die von den Messen zu Zürich und Zurzach zurückkehrenden Ulmer Kaufleute überfallen und ausplündern konnten. Endlich räucherten die geschädigten Städte das Räubernest aus. Zerfielen auch die Mauern, blieb doch der einzigartige Ausblick in den Hegau, auf »des lieben Gottes Kegelspiel«, die feuergeborenen Berge: Hohentwiel, Mägdeberg, Hohenkrähen, Hohenhewen und Hohenstoffeln. Doch auch der Weg entlang dem Ufer bietet Überraschungen. Wir brauchen nur in das verträumte *Kattenhorn* hinunterzusteigen, wo im Kirchlein die Statue des hl. Blasius auf uns wartet. Als die Mammerner beim Schweizer Bildersturm das Heiligenbild unfreundlicherweise in den See warfen, schwamm es aufrecht im Wasser stehend zu den Kattenhornern und lohnte die ihm gewährte Gastfreundschaft durch Hilfe bei vielen Halsleiden.

Von hier aus ist es nicht mehr weit zu den imponierenden Baulichkeiten des ehemaligen Augustinerchorherrenstiftes von *Öhningen*, das mit seinem Kirchturm bereits über den Schlagbaum zur Schweizer Stadt Stein am Rhein hinüberblickt.

Halt! Da fällt uns gerade ein, daß wir zwar nichts Zollpflichtiges in unserem Gepäck tragen, sondern vielmehr etwas vergessen haben, nämlich dem Uferstück zwischen Horn und Radolfzell entlang zu wandern. Es wäre zu schade, versäumten wir *Iznang*, wo der an vielen Höfen Europas gefeierte Modearzt des 18. Jahrhunderts, Franz Anton Mesmer, geboren wurde. Zu schade wäre es auch, nicht über die ufernahen »Schwingwiesen« zu schreiten, die sich federnd unter die Füße legen. Ein pappelbestandener Damm führt uns durch ein Ried und über die sich von Singen herschlängelnde Radolfzeller Aach. Dann nimmt uns *Radolfzell* in seinen Mauern auf.

Dies ist sogar wortwörtlich zu verstehen, bestehen doch die alten Befestigungen tatsächlich noch großenteils, so daß der Dichter Joseph Viktor von Scheffel mit Recht von einem »alten Nest mit seinen Wackenmauern« spricht. An dem Bild der Altstadt ändern nur wenig die in respektvoller Entfernung sich haltenden Industriewerke mit ihren klingenden Namen. Über ein Jahrtausend ist vergangen, seitdem Ratold oder Radolf, ein alemannischer Grafensohn, aus Verona kommend, vom Abt des Klosters Reichenau die Erlaubnis erhielt, in diesem stillen Winkel des Bodensees sich eine Zelle zu bauen: »Ratoldi cella«, ein Name, der später zu Radolfzell verschmolz. Der fromme Mann brachte aus dem Süden die Gebeine der Heiligen Genesius, Senesius und Theopontus in seine neue Heimat und machte die Siedlung damit zu einer vielbesuchten Wallfahrtsstätte. Wie damals spielen auch heute noch die Reliquien dieser »Drei Hausherren« im Leben der Stadt eine gewichtige Rolle. Man vertraut sich ihrem Schutze an, man lebt mit ihnen wie mit guten Nachbarn, holt alljährlich die silbernen Schreine mit den Reliquien aus dem prunkvollen Rokokoaltar des Münsters und trägt sie in feierlicher Prozession durch die Stadt. Dann zieht der Zug vorbei an dem an der Obertorstraße stehenden, aus Radolfzells österreichischer Zeit stammenden »Schlößchen«, am repräsentativen »Ritterschaftshaus«, an der sich mit malerischem Erker vordrängenden Stadtapotheke und an dem 600 Jahre alten Spital zum Heiligen Geist, an dessen Rundbogenhalle und Kapelle die Zeit spurlos vorüberging. Noch eindrucksvoller als diese farbenprächtige Demonstration eines traditionsbewußten Bürgertums wirkt die am Montag des Hausherrenfestes seit 150 Jahren zwischen dem Höridorf Moos und Radolfzell stattfindende Schiffsprozession. In Erfüllung eines Gelübdes überqueren unter der Führung ihres Pfarrers die Mooser Bauern und Fischer auf ihren festlich geschmückten Booten und Kähnen den See, werden am anderen Ufer unter den Klängen der Stadtmusik feierlich empfangen und zum sogenannten »Mooseramt« zum Münster geleitet. Im Schutze der Hausherren fühlte sich auch der Dichter des »Ekkehard«, Joseph Viktor von Scheffel geborgen, erbaute er sich doch auf der weit in den flachen See hinausreichenden Halbinsel Mettnau seinen Alterssitz, wo er seinen Wahlspruch: »Still liegen und einsam sich sonnen« zu verwirklichen suchte. Das kann man heute noch besser in dem hier entstandenen Kur- und Erholungszentrum und auch in dem beim Bahnhof gelegenen Stadtgarten, der Radolfzell, um mit Ludwig Finckh zu sprechen, zum »schönsten Wartesaal Deutschlands« macht.

Unvergleichlich schön ist der Weg entlang dem »Gnadensee«. An diesem reizvollen Stück Ufer gibt es viele Campingplätze, Zelt an Zelt. Rot, blau und gelb sind sie ostereierbunt in das Grün gestreut. Hier liegt das Reich der Sonnenanbeter. Man vergnügt sich bei Federball und Tischtennis, und seriöse Herren erweisen sich beim Kartoffelschälen als perfekte Hausfrauen. »Zurück zur Natur« heißt die Losung.

Gleich hinter Radolfzell hebt die Kirche zu *Markelfingen* ihre achteckige Haube aus dem Blütenflor, während das idyllisch anmutende Allensbach, Sitz des Instituts für Demoskopie, mit einem Zwiebelturm zur nahen Reichenau hinübergrüßt. Zu dem auf eine Reichenauer Dienstmannenburg zurückgehenden Kloster Hegne pilgern heute Ungezählte in stiller Verehrung für die nach einem heiligmäßigen Leben 1913 hier verstorbene Nonne Ulrike Nisch.

»Gnadensee« – nicht der Gnade, an diesem Ufer leben zu dürfen, verdankt der zwischen Reichenau und Allensbach liegende Seezipfel seinen Namen. Er entstammt vielmehr jener Zeit, als die Reichenau noch ein »Gefilde der Seligen« war, auf dem kein ungetauftes Kind begraben und kein Verbrecher hingerichtet werden durfte. Er mußte auf einem Boot zu der zwischen Allensbach und Hegne gelegenen Richtstätte gebracht werden. Erklang während dieser »letzten Fahrt« vom Kloster her das Armsünderglöckchen, bedeutete dies die Begnadigung. Für den Glücklichen war der Weg wieder offen in die weite Welt. Vielleicht lockte ihn wie auch uns die nahe Schweiz, vor der wir bei Stein am Rhein halt machten.

Jetzt wollen wir dort, wo der Untersee sich zum Trichter verengt und den Hochrhein in Richtung Schaffhausen entläßt, ein wenig verweilen und uns von der wie eine Theaterkulisse zu den »Meistersingern« wirkenden Stadt verzaubern lassen. Die einzigartige Lage von Stein zu Füßen des von der Burg Hohenklingen gekrönten Ausläufers des Schienerberges und an der Pforte zum See mag einst die Pfahlbauer bewogen haben, sich auf den der Stadt vorgelagerten Inselchen anzusiedeln. Zwei von ihnen gleichen schilfbestandenen Sandbänken, die dritte aber birgt zwischen den Säulen der Pappeln die Kapelle des hl. Othmar. Der eigentliche Begründer des Klosters St. Gallen wurde auf Grund haltloser Verdächtigungen hierher verbannt. Nach seinem Tode im Jahre 759 holte man den Leichnam des inzwischen Rehabilitierten mit einem Schiff in sein Kloster zurück. Und o Wunder: Auf der langen Fahrt leerte sich trotz eifrigen Zuspruchs der Ruderknechte das zur Wegzehrung mitgenommene Weinfäßchen nie.

Die Römer benützten die flachen Inseln als Pfeiler für die von Eschenz zum nördlichen Ufer führende Brücke. Ihr Kastell stand einst gegenüber dem Oval der mittelalterlichen Stadt, die unversehrt – sieht man von irrtümlich verursachten Bombenschäden im letzten Weltkrieg ab –

durch kampferfüllte Zeiten kam. Dank sei jenem wackeren Bürger, der mit seinem zweideutigen Ruf: »No e Wili« den beutegierigen Hegauadel im Jahre 1478 so lange hinhielt, bis die inzwischen mobilisierte Bürgerschaft den geplanten Überfall blutig abwehren konnte. Wer weiß, ob sonst noch die buntbemalten Bürgerhäuser so selbstbewußt mit ihren riesigen Dachgaupen zum Rathaus hinüberblicken könnten, dessen Fresken uns aus der bewegten Stadtgeschichte berichten. Eine andere Hausfassade erzählt von dem Freiherrn von Schwarzenberg, dem die Aufgabe zugefallen war, während des Dreißigjährigen Krieges die Türken durch einen Friedensvertrag von den Grenzen des Reiches fernzuhalten.

So begehrenswert erschien seit eh und je dieser von der Natur besonders begünstigte Platz, daß die früher auf dem Hohentwiel lebenden Mönche ihren windumtosten Sitz um das Jahr 1000 mit den sanfteren Seeufern vertauschten und das Kloster St. Georgen an den Rheinausfluß verlegten. Mit dem von Abt David von Winkelsheim erbauten Flügel drängen die Klosterbauten bis zum Strom vor. Der Glanz des Wassers wirft zitternde Reflexe durch die Butzenscheiben eines Erkers und läßt sie auf einer prachtvoll geschnitzten Decke und den realistischen Fresken des Thomas Schmid spielen. In den stimmungsvollen Kreuzgang ist das Rauschen des vorbeiziehenden Flusses ebenso vernehmbar wie in der aus dem 12. Jahrhundert stammenden Klosterkirche.

Nahe der heute neuen Rheinbrücke, an der die alten Lädischiffe einst ihre kostbare Salzfracht löschten, erwartet uns schon ungeduldig zitternd das schmucke Motorboot, das uns durch eine noch völlig unberührte Landschaft nach Schaffhausen tragen soll. Weinberge ziehen rechts am Hang empor, und linkerhand greift die alte Kirche von *Wagenhausen* noch einmal den auf der Reichenau angeschlagenen Akkord auf. Die Glocke, die unter dem Spitzhelm des weißausgefachten Dachreiters hängt, läutete 1291 die Geburtsstunde der Eidgenossenschaft ein. Bei Rheinklingen öffnet sich die Pforte des Bibertales. Unwillkürlich ziehen wir den Kopf ein, durchfährt das Boot die niedere gedeckte Brücke bei *Diessenhofen*. Mag das ins Jahr 1292 zurückgehende Bauwerk auch von durchziehenden russischen Truppen verbrannt und im letzten Weltkrieg ein Brückenkopf von Bomben zerstört worden sein, versieht doch die »Ponte Vecchio« von Diessenhofen immer noch treu und brav ihren Dienst und führt »d'Schwobe« in das festgefügte altschweizerische Städtchen. Hier lohnt es sich auszusteigen, vor allem um sich in den barocken Glanz der Kirche von St. Katharinental zu versenken.

Auf der Weiterfahrt reiht sich Bild an Bild, eine ganze Kette, an der das kunstvoll zisilierte Juwel *Schaffhausen* hängt.

Bevor wir die berühmte Stadt mit ihrer markanten Silhouette erreichen, grüßt, in fruchtbare Felder gebettet, vom südlichen Rheinufer das ehemalige Kloster »Paradies« herüber. Der Name hat allerdings nichts mit dem Garten Eden zu tun, den unsere Stammeltern so leichtfertig gegen das »Tal der Tränen« eintauschten, er geht vielmehr auf die Klarissinnen zurück, die in Konstanz 1253 ihr »Paradies« benanntes Kloster aufgaben und den Namen einfach auf die neuen Bauten vor Schaffhausens Toren übertrugen. Heute hat sich ein großes Industriewerk des verlassenen Klosters angenommen und in den hervorragend restaurierten Bauten Wohn- und Aufenthaltsräume, ein Archiv und eine reiche Fachbibliothek über Eisen eingerichtet.

Das alles harmoniert recht gut zusammen mit dem stilecht erneuerten Kreuzganggarten und der stimmungsvollen Kirche. Bald hinter den Bauten des Klosters liegen flache Weidlinge am Rheinufer, in denen man sich bis nach Stein am Rhein mit langen Stäben »hinaufstacheln« oder nach Schaffhausen stromabwärts treiben lassen kann.

Der Munot, aus einem Dürerschen Stich herausgeschnitten, »Schillers Glocke« im malerischen Kreuzgarten des einst mächtigen Klosters Allerheiligen, die Kunstschätze des dort untergebrachten Museums, stilvolle Fassaden, ausladende Erker, rauschende Brunnen: das sind, über den Daumen gepeilt, die Sehenswürdigkeiten der Stadt, die einst durch das Verladen der Ware vom Schiff auf die Achse reich wurde. Der nahe *Rheinfall*, der auch unserer Fahrt ein Ende setzt, war ja für die Schiffahrt ein unüberwindliches Hindernis.

Der Rheinfall: Ansichtspostkartenschönheit und vielbestauntes Naturwunder, in schwarz-weiß und farbig auf ungezählte Filme gebannt, und dennoch immer wieder neu gesehen, neu erlebt, ob man vom Schlößchen Wörth zu ihm hinüberblickt oder ob man auf der Felskanzel Fischez stehend, dieses Stürzen, Fluten, Gischten leibhaftig erlebt, es mit den Wasserperlen auf der Haut spürt, es einatmet, oder im Zittern der Felsen den Anprall der Wassermassen fühlt.

Auf einer Breite von 115 Metern durchbricht der Rhein die 21 Meter hohe Felsbarriere und beruhigt sich erst wieder in dem großen Becken zu Füßen des Schlosses Laufen.

Statt des Dröhnens und Rauschens genießen wir auf der Rückfahrt um so mehr die Stille der Uferwälder. Mit alten Fachwerkbauten und einem kleinen Tordurchlaß drängt sich die frühere deutsche Exklave *Büsingen* ganz nahe an den Rhein heran, ein politisches Kuriosum, das erst seit dem 4. September 1967 durch die Eingliederung in das schweizerische Freigebiet beseitigt wurde. Nahe der Ortschaft steigt die alte Wehrkirche St. Michael empor, die halb Burg, halb Gotteshaus seit dem 11. Jahrhundert hinter dicken Friedhofsmauern ihren trutzigen Turm über das Rheintal reckt. Hinter Stein am Rhein ist wieder der Untersee erreicht. Bei *Mammern* wehen aus dem Kurpark ein paar Takte Musik zu uns herüber. Der Schlag von Glocken in den Dorfkirchen und das Läuten weidender Tiere, das sind die Stimmen dieser heiteren Landschaft. Fröhlich lächelnd trägt auch das alte Städtchen *Steckborn* den »Turmhof« wie eine sechszipfelige Narrenkappe.

Rasten wir in dem freundlichen *Glarisegg*, das schon Goethe »einen stimmungsvollen Baum- und Wasserwinkel« nennt, bevor wir noch einmal *Berlingen, Mannenbach* und *Ermatingen* an uns vorübergleiten lassen.

Hinter Konstanz beginnt die Fahrt zu »neuen Ufern«. Von der einstigen Bischofsstadt nur durch einen Schlagbaum getrennt, erwartet uns *Kreuzlingen*. Einst war die heute so lebhafte Grenzstadt besonders stolz auf ihre Augustinerabtei und die dazugehörige Kirche – bis im Jahre 1963 jene Brandnacht kam, in der die ganze barocke Pracht in Flammen aufging: die auf der reich vergoldeten Orgelempore musizierenden Putten, die prunkenden Altäre, die geschnitzten Beichtstühle und auch viele der fünfhundert meisterlichen Holzfiguren, welche die Ölbergkapelle mit Leben erfüllten.

Aber die Kreuzlinger ließen sich nicht entmutigen. Heute sind sie stolz darauf, daß es ihnen gelang, das Zerstörte wieder genauso herzustellen wie es einmal war. Das herrliche schmiedeeiserne Gitter, vom Feuer verbogen und durchglüht, täuscht wie früher Perspektive vor, und unversehrt zeigt die gotische Pieta das Bild der Gottesmutter, erstarrt im Leid um ihren Sohn.

Triumphierendes, strahlendes Barock erwartet uns auch in der Kirche zu *Münsterlingen,* wo wir der Hagnauer Johannesbüste heute begegnen.

Wie anders die etwas abseits liegende, von wenigen nur gekannte und erlebte Kirche von *Landschlacht!* Man sieht es der äußerlich schlichten Kapelle nicht an, daß ihr dem 10. Jahrhundert angehörendes Schiff wertvolle, für den ganzen Bodenseeraum bedeutsame Fresken birgt. Ein Konstanzer Meister hatte Mitte des 14. Jahrhunderts an der Südwand der Kapelle Passionsbilder entstehen lassen, die noch flächig in feinem Linienspiel ganz der Wand angehören. Ein zweiter Meister beschreibt im später angefügten Chor das Leben des hl. Leonhard in verblüffender Lebendigkeit. Er schuf damit eine »biblia pauperum«, eine Bilderpredigt, die sich in etwa mit der viel älteren Ausmalung der Goldbacher Kapelle jenseits des Sees vergleichen läßt.

Mit seinem vorgeschobenen »Horn« versucht *Romanshorn* dem gegenüberliegenden Friedrichshafen die Hand zu reichen. Doch der See ist hier so breit, daß die bedeutende Hafenstadt, eine wichtige Eisenbahn-, Schiff- und Zollstation, die erstrebte Verbindung den Passagier- und Trajektschiffen überlassen muß.

Auch *Arbon,* das römische Arbor felix, hat sich auf einer Halbinsel angesiedelt und konnte so, vom See beschützt, den malerischen Staffelgiebel des Schlosses, den Renaissance-Pfarrbrunnen und die südöstlich der Pfarrkirche gelegene Galluskapelle in unsere Zeit herüberretten. Der Name dieses Gotteshauses erinnert an den Glaubensboten Gallus, der im Jahre 614 von hier aus in die Wildnis des Steinachtales auszog, um die Alemannen für den christlichen Glauben zu gewinnen. Hier steingewordene Geschichte, und draußen in der Vorstadt in gewaltigen Autowerken der erregende Pulsschlag unserer Zeit.

Als dritte der auf römischen Grundmauern stehenden Schweizer Seestädte erreichte *Rorschach* als Handelsstadt schon frühen Ruhm. Der Reichtum der Handelsherren spiegelt sich heute noch in den Fassaden der Häuser und ihren oft über zwei Stockwerke hinziehenden reichgeschnitzten Erkern. Auch das von Bagnato 1746 erbaute Kornhaus ist symbolisch für die Bedeutung der Stadt als Umschlagplatz für oberschwäbisches Getreide.

Die Gründung des hl. Gallus, die »Stadt im grünen Ring« das zwiegesichtige *St. Gallen,* dürfte bei einer Höhenlage von beinahe 700 Metern mit 73 000 Einwohnern eine der höchstgelegenen Großstädte Europas sein. Uralt der Ort, aber stets sich verjüngend durch Gewerbefleiß und ein blühendes Wirtschaftsleben, durch Schulen, Theater, Konzerte, Museen und Ausstellungen.

Was die IBO für Friedrichshafen, ist die OLMA, die alljährlich im Oktober wiederkehrende Ostschweizerische Land- und Milchwirtschaftliche Ausstellung, für St. Gallen. Wer wüßte nicht von den St. Gallener Spitzen, den schönen Stoffen und den begehrten »Tüchli«?

Doch neben dem wirtschaftlichen Leben behauptet sich ebenbürtig das kulturelle Erbe in der grandiosen, mit ihren Doppeltürmen das Stadtbild beherrschenden Kathedrale, und in den Klosterbauten. Verlor die Reichenau schon früh die Schätze der Klosterbibliothek, blieb sie in St. Gallen trotz der Hunneneinfälle und der Säkularisation über 1200 Jahre hinweg erhalten. Neben den Manuskripten aus der Zeit des karolingischen »goldenen Zeitalters« stellen die Schöpfungen aus der Spätblüte des ottonischen oder »silbernen Zeitalters« den wertvollsten Besitz der Klosterbibliothek dar.

Kostbar wie der Inhalt, ist auch der Rahmen, den man der Bücherei, jener »Arzneistube der Seele« gegeben hat. Bei dem von Peter Thumb erbauten und von den Wessobrunner Brüdern Gigl stuckierten Rokokosaal denkt man unwillkürlich an die hinschwingenden Linien einer edlen Geige. Was in diesem prunkenden Gehäuse in Vitrinen und kunstvoll geschnitzten Regalen geborgen liegt, stellt einen Besitz von unschätzbarem geistigen und materiellen Wert dar. Hinter St. Gallen werden die Berge zu Sonnenterrassen für die weithin über den See blickenden Kurorte wie *Heiden* und *Walzenhausen,* von wo die Höhen sich wieder zu dem an der Rheinmündung gelegenen *Rheineck* hintersenken. Über dem Auf und Ab der umgrünten Appenzeller Vorberge erhebt der Säntis sein gewaltiges Felsenhaupt und macht sein Recht geltend, König des Bodenseeraumes zu sein. In den »Sieben Churfirsten« hat er sogar sein adeliges Gefolge um sich geschart. Zieht er sich an regenverhangenen Tagen hinter die undurchdringlichen Draperien der Wolken zurück, schiebt er bei Föhn sich ganz nahe und drohend an den Bodensee heran. Doch an dem breiten Rheintal ist sein Herrschaftsgebiet zu Ende.

Der Ring unserer Reise hat sich geschlossen. Wäre es nicht lange schon geschehen, hätten wir auf dieser Fahrt bedingungslos unser eigenes Herz an das »Herz Europas« verloren.

The Lake of Constance is a living organism, resembling a human heart, with the Obersee as the main chamber, the Überlinger See and Untersee as ventricles, and the Rhine as the aorta, a great artery supplying the lake with grey-green 'blood' from the inexhaustible source of the Alpine glaciers. Our comparison can be carried even further, if we think of the many-branched arterial system trough which the gigantic ventricle of the lake pumps the vital liquid into many towns and villages.

The Lake of Constance is the heart of Europe! In another sense, too, this simile remains valid. The Romans brought to the lake not only fighting and war with the indigenous inhabitants, they also introduced the gifts of peace to its shores: fruit and wine. Just as the Celts had to give way to the Romans, so the legions in their turn were expelled by the invading Alemanni in the course of the great tribal migration.

As early as the sixth century a princely residence arose at Bodman, in a quit corner of the Überlinger See. Elsewhere, too, new life stirred, as on the Reichenau. The monastery founded there became a cradle of the arts and sciences, and trough their vigorous faith the monks became pioneers in a still virgin country. It was they, together with the monastery of St. Gall, who helped to make the Lake of Constance the 'Heart of Europe'.

Among the rising lakeside towns Constance became both an important commercial centre and the seat of the largest German bishopric, and here from 1414 until 1418 sat an ecclesiastical synod of world-stirring importance.

Within the last decades the Lake of Constance region, with its charming towns and villages, has become a much-visited holiday paradise. Its fish dishes and excellent wines ares renowned.

Where are we to begin our journey? Probably best at the point where the Rhine, progenitor of the lake, debouches into it between the Pfänder and the Appenzell Forealps. Four times the ice of the mighty Rhine glacier advanced trough the wide gap, chiselling out the basin of the Lake of Constance to a depth of over 800 feet. Including the fjord-like Überlinger See and the shallow Untersee the entire water area attains a length of 43 miles. Near the mouth of the Rhine the Austrian town of *Bregenz*, well known for its festival, has found a secure place. Strikingly sited on an island in the lake but connected with the shore by a causeway lies the town of *Lindau*, with quaint old streets and a busy harbour inviting you for a stay.

As we proceed by the Constance steamer, Wasserburg, Nonnenhorn and Kressbronn soon come into view beyond *Bad Schachen*.

The health resort of *Langenargen*, known in recent years for the Institute of Lake Research, gets its name from the river Argen, which here issues into the lake.

The industrial *Friedrichshafen* became famous trough the Zeppelin airships once built here and trough the annual IBO exhibition and the 'interboot' fair. The lake attains its greatest width here (8¾ miles), and steamer services from all directions converge at this point.

Beyond *Fischbach* rises the broad-shouldered Gehrenberg with a viewtower and also the Renaissance château of Heiligenberg, property of the Princes of Fürstenberg.

From lovely *Immenstaad* onwards the vine accompanies us all the way to Hagnau. There we look in vain in the church for the 16th century bust of St. John. Since the lake froze over in 1830 it stood in Hagnau church. But when the lake froze over again completely in 1963 after an interval of 130 years the Münsterlingers, according to time-honoured tradition, conducted the saint's bust in solemn procession across the ice to the Swiss bank and placed it in their sumptuous baroque church.

Beyond Hagnau the banks rise gradually until they ascend as a steep escarpment to a town of outstanding beauty. *Meersburg*! Truly, this ensemble of clustered houses, the splendid baroque buildings of the New Schloss, and the tower-defended Dagobertsburg, merits a mark of exclamation. For here the lover of the romantic, of history and art will find his account, as well as the connoisseur who likes to drink the palatable 'Weissherbst' wine at its source. Our next stop is *Unteruhldingen*, where the carefully reconstructed pile-dwellings give a good idea of the way people lived here 3000–4000 years ago.

What a contrast between the pile-dwellings and the baroque pilgrimage church of *Neu-Birnau*, a jewel in this landscape. Before we continue on our way, a quick digression might be made to the former monastery of Salem, the Schloss school of which attained worldwide fame under its director Kurt Hahn, who later, as an exile in Scotland, founded the equally celebrated Gordonstoun. But back again to the lake. *Überlingen* is best surveyed from the tower of the grand Nikolausmünster.

Thence the view extends over the maze of roofs, over quaint old lanes and handsome buildings bearing witness to the importance of this former free city of the Empire.

Quite close to the shore, as well as round the straggling *Sipplingen*, are the remains of the legend-haunted 'Heathen Caves'. Here the lakewater is at its purest, and it is from this point that many towns in southern Germany derive their water supply.

Opposite Sipplingen extends the Bodanrück, guarded by its castles. At its end lies the island of Mainau, an 'Isola Bella' on German soil, which was once the dwelling place of the Commanders of the Teutonic Order. The Old Grand Duke, who had acquired the island in 1853, turned it into a fairytale garden, which has been further extended by Count Bernadotte, its present proprietor.

At the near-by university town of *Constance*, situated on both the lake and the High Rhine, emperors and kings stayed in former days. A free city of the Empire, it eventually rose to become the chief of the Imperial cities on the Lake of Constance. Thus it was not by chance that the world-stirring Church Council of 1414–1418 was held at Constance. Many buildings still in existence date back to those eventful days, among them the edifice dominating the harbour and known as 'Konzil'. Let us proceed by one of the smart motorboats, which carries from the harbour across into the narrow arm of the Rhine connecting the Obersee with the Untersee and to the fishing village of *Gottlieben*.

While the banks of the Rhine have been clearly defined to this point, we now seem to pass through a landscape of lagoons. Without fail our motorboat would run aground again and again were it not for the marking poles, which, stuck providently into the shallow water, force it to take an involuntary slalom course along the Wollmatinger Ried, one of the last reserves of rare plants and birds.

From the steep heights on the Swiss bank the stately homes of the nobility look down on the Untersee, among them *Schloss Arenenberg*, famous as former seat of the Napoleonic family. In this case it is not the architecture that counts but the situation on the hillslope and the impressive atmosphere of the interior.

Now we are greeted by the monastery-island of *Reichenau*, in the early middle ages a cradle of piety, the arts and sciences. True, most of the numerous houses of worship on the island have vanished, but the three most important churches have survived. At Oberzell, among orchards and vegetable gardens, the fortified church of St. George with its famous frescoes has, like a castle of God, guarded the entrance to the Reichenau for 1100 years. On a walk trough the island we pass gleaming hothouses and well-cultivated beds of early vegetables, until we reach the important Romanesque Minster. The ancient church of Niederzell greets with its two towers across to the peninsula of *Höri*. There the former Augustinian canonry of *Öhningen* looks across the turn-pike to the Swiss town of Stein am Rhein. Before crossing the frontier, though, we wander along the shore to *Radolfzell*. Over a millenium has passed since Ratold or Radolf of Verona built himself a cell in this quiet corner of the Lake of Constance: 'Ratoldi cella', a name later converted to Radolfzell. Incomparably beautiful is the way from quaint old Radolfzell along the 'Gnadensee'. On this piece of shore camping site follows camping site in summer.

Soon the church at *Markelfingen* raises its octagonal cap above the flowery meadows, while the idyllic Allensbach, seat of the famous Institute for Demoscopy, looks across to the Reichenau with its onion-shaped tower.

Let us return to the point where the Untersee narrows to a funnel and dismisses the High Rhine in the direction of Schaffhausen. Here, looking like theatrical scenery, lies the charming *Stein am Rhein*, its gaily painted burghers' houses looking proudly across to the town hall. After a varied trip on the unspoilt High Rhine we reach the interesting town of *Schaffhausen*, where the near-bay Falls of the Rhine are an outstanding sight. With a width of 125 yards the stream breaks through a rock-barrier 70 feet high.

On the Swiss bank of the lake we are awaited by the rising frontier town of *Kreuzlingen*.

With its projecting 'horn' the important harbour-town of *Romanshorn* extends a hand to Friedrichshafen on the opposite bank.

Arbon, too, the Arbor felix of the Romans, has established itself on a peninsula.

As third of the Swiss lake-towns built on Roman foundations *Rorschach* attained early fame for its trade.

St. Gall, founded by the Irish missionary of that name, is with an elevation of almost 2,300 feet and 80,000 inhabitants probably one of the highest cities in Europe. Side by side with a busy commercial life its cultural heritage is worthily maintained by the grand Cathedral, the twin towers of which dominate the city, the monastic buildings, and the world-famous library. Beyond St. Gall the mountains become sun-terraces for the health resorts that look far across the lake. Above the up and down of the pastoral Appenzell foothills the rocky Säntis raises its gigantic head.

The circle of our journey is closed. And had it not happened long ago, we might well have lost our own heart unconditionally to the 'Heart of Europe'.

Comparable au cœur humain, le lac de Constance se compose de ventricules: Le lac d'Überlingen, et d'oreillettes: l'Untersee ou partie inférieure du lac. C'est le Rhin qui joue le rôle d'aorte tel un aigle puissant, il achemine le »sang« bleu-vert puisé aux sources inépuisables des glaciers alpins, et transforme ainsi le lac en un organe vivant. On peut encore poursuivre le rapprochement en comparant le réseau de veines finement ramifié à travers lequel les puissants ventricules du lac pompent l'élément liquide vital dans de nombreux villes et villages. Le lac de Constance – Cœur de l'Europe – Ce n'est pas seulement au sens large du terme que cette expression prend toute sa valeur. En effet, les Romains n'apportèrent pas seulement les combats et la guerre aux habitants d'alors, ils leur firent surtout don de la paix, des fruits et du vin. Comme les celtes avaient dû se plier aux romains, les légions durent céder à la pression des alémans, eux-mêmes poussés en direction du lac, au cours des migrations de population.

Bodman, sur les rives paisibles du lac de Überlingen, fut résidence princière dès le VIème siècle. En d'autres points de la région une nouvelle vie prit son élan, ce fut la fondation du monastère de Reichenau, foyer de l'art et de la science. La force de la foi de ses moines en fit des pionniers dans un pays encore vierge; ce dernier ainsi que le monastère de St. Gall firent de la région du lac de Constance, le cœur de l'Europe.

Parmi les villes fondées autour du lac, Constance fut le siège du plus grand évêché allemand et un centre de commerce très important où se déroula de 1414 à 1418 le concile qui mit fin au Grand Schisme, avec l'élection du pape Martin V. Chaque année à Lindau, un autre genre de concile réunit tous les Prix Nobel pour un échange d'idées. Les villes soignées, les villages riants ont fait de la région du lac de Constance, ces dernières années, un lieu de villégiature privilégié. Ses spécialités de poissons, ses vins savoureux sont très appréciés. Nous commencerons notre voyage à l'embouchure du Rhin, père nourricier du lac. Il s'agit de la partie entre le Pfänder et l'Appenzell. L'immense glacier du Rhin passa quatre fois par cette large porte et creusa le bassin du lac, d'une profondeur de 250 mètres. La surface de la terre était formée depuis des milliers d'années, quand le lac prit sa physionomie actuelle, après la fonte du glacier, il y a à peu près 20.000 ans. Le grand lac, le lac de Überlingen, en forme de fjord et le Untersee peu profond atteignent une longueur total de 69 kilomètres. Leur surface est si vaste qu'il y a 50 ans, la population du globe aurait pu y trouver place.

Bregenz, sur la rive autrichienne, non loin de l'embouchure du Rhin, a, grâce à son festival, une renommée mondiale.

Lindau, construite sur une île invite à rêver dans ses vieilles rues médiévales. Prenons le bateau pour Constance, après *Bad Schachen* nous apercevons *Wasserburg, Nonnenhorn, Kressbronn*.

Langenargen, située à l'embouchure du Argen, est connue pour son institut de recherches sur le lac.

Friedrichshafen, ville industrieuse fut rendue célèbre par la construction des dirigeables zeppelin. Des foires importantes telles que la IBO (foire de commerce et d'industrie) et la «Interboot» (Salon nautique) y ont lieu chaque année. C'est la partie la plus large du lac, 14 kilomètres et le point où convergent toutes les lignes de bateaux.

Derrière *Fischbach* s'élève le large Gehrenberg avec sa tour d'observation ainsi que le château renaissance de Heiligenberg appartenant au Prince de Fürstenberg.

A partir de *Immenstaad*, les vignobles nous accompagnent jusqu'à *Hagnau*. A l'intérieur de son église, nous chercherons en vain le buste de St. Jean du XVIème siècle, à la place qu'il occupa durant 130 ans, depuis l'avant dernier grand gel du lac en 1830, jusqu'à 1963. Selon la vieille tradition, en procession solennelle, les habitants de Münsterlingen en Suisse, firent la traversée du lac gelé pour venir prendre le buste et le placer dans le ciel baroque de leur église, «Die Seegfrörne», le grand gel du lac, ne se produit qu'une ou deux fois par siècle. Après Hagnau, la rive devient plus escarpée, magnifiquement couronnée par la ravissante ville de *Meersbourg*. Cet ensemble de maisons enchevêtrées, les splendides bâtiments baroques du nouveau château, le vieux château-fort et sa tour Dagobert font le bonheur des romantiques, tout comme le bon vin rosé vient remplir d'aise les connaisseurs.

Regardons en passant les bacs rapides allant à Constance et continuons notre route. *Unteruhldingen*, nous ramène 4000 ans en arrière avec sa cité lacustre méticuleusement reconstituée. Quel contraste avec la gracieuse église de pèlerinage de *Birnau*, du plus pur style baroque. De là, nous faisons un détour à *Salem* dont le vieux couvent abrite un collège de renommée mondiale, fondé par le Dr. Kurt Hahn.

Mais, revenons au lac. Voilà Überlingen! ancienne ville impériale libre.

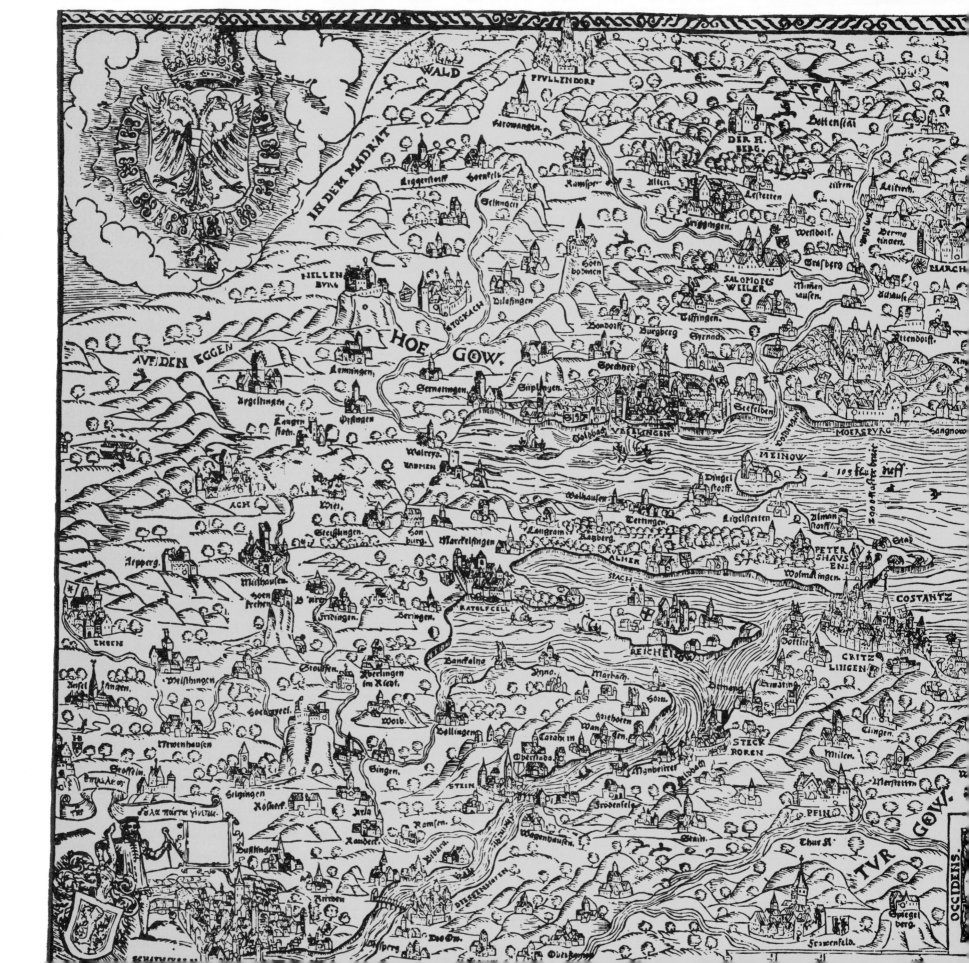

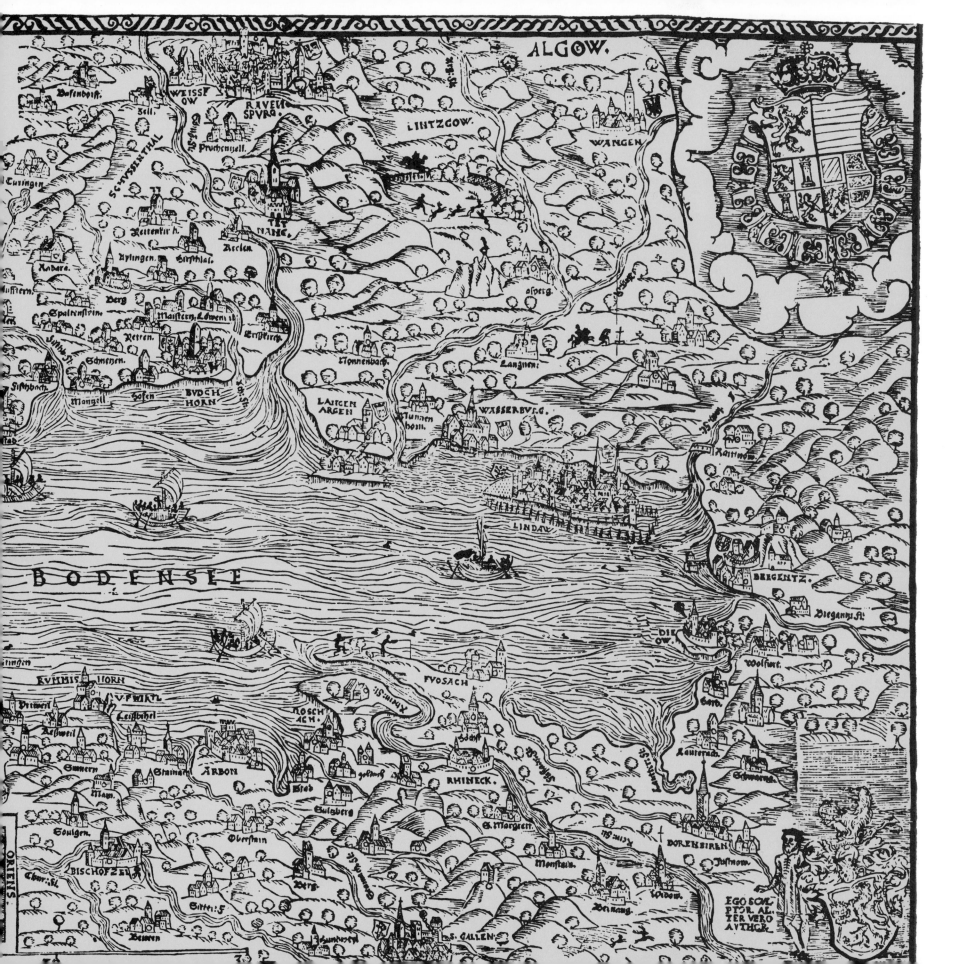

C'est depuis la tour de sa grande église St. Nicolas que l'on devrait d'abord découvrir cette belle ville. Ses vieux toits, ses maisons patriciennes, ses remparts et leurs tours témoignent d'un riche passé.

Le long de la rive nous découvrons les légendaires cavernes de l'âge de pierre «Heidenhöhlen», puis *Sipplingen*. Dans cette partie du lac l'eau est restée presque pure, elle alimente un grand nombre de villes et villages de l'Allemagne du sud. Le *Bodanrück* forme l'autre rive du lac de Überlingen.

L'île fleurie de *Mainau* est située à l'extrémité de cette presqu'île. L'ancienne résidence des Chevaliers teutoniques fut acquise par le Grand Duc de Bade en 1853, qui transforma l'île en un immense parc. L'actuel propriétaire, le Comte Bernadotte, continue la tradition.

La ville universitaire de Constance sur les bords du lac et du Rhin, reçut autrefois la visite des empereurs et des rois. Ville impériale libre, elle prit la présidence de la fédération des villes impériales du lac. Ce n'est donc pas par hasard, que le choix se posa sur Constance pour y réunir le fameux concile de 1414 à 1418. De nombreux édifices rappellent encore ces jours mouvementés. La cathédrale où se tinrent les sessions et sur le port l'ancien entrepôt, dénommé aujourd'hui «concile», où eut lieu l'élection du pape Martin V.

Un bateau à moteur nous emporte maintenant vers le village de pêcheurs de *Gottlieben*, sur la rive suisse du «Untersee». Nous traversons le Wollmatinger Ried (marais de Wollmatingen), cite naturel protégé, réservé aux oiseaux et aux plantes rares. Nous saluons le château de Arenenberg résidence de la reine Hortense, fille de l'impératrice Joséphine et mère de Napoléon III, qui y passa sa jeunesse. Voici l'île de Reichenau qui fut au Moyen Age un centre actif de la chrétienté, où les arts et la science fleurirent. Les trois principales églises existent encore. A l'entrée de l'île, St. Georges de Oberzell, célèbre pour ses fresques remarquables de l'an 1000. Marienmünster zu Mittelzell (basilique mariale), construite vers 1048, très belle dans sa simplicité romane. St. Pierre et St. Paul de Niederzell avec ses fresques, vers 1100.

Quittons la pointe de l'île pour la presqu'île de la *Höri, Öhningen* et l'ancien couvent des Augustins. Avant de passer la frontière suisse, remontons la rive vers Radolfzell. Mille ans sont passés depuis que Ratold ou Radolf de Verona vint fondé son ermitage dans ce coin tranquille du lac. «Ratoldi cella» se transforma plus tard en Radolfzell. Le long de la rive du Gnadensee nous trouvons les riants villages de Markelfingen et Allensbach.

Mais revenons à l'endroit où le Untersee devient plus étroit, le Rhin quitte le lac. La première ville qu'il traverse est *Stein am Rhein*, charmante et pittoresque avec sès maisons aux façades peintes. Nous atteignons ensuite *Schaffouse*, ville très vivante ayant su conserver tout le charme de son cachet ancien. La proximité de la chute du Rhin est une curiosité. Sur une largeur de 115 mètres les eaux du fleuve se précipitent d'une falaise de 21 mètres de haut.

Kreuzlingen, ville frontière florissante sur la rive du grand lac, voisine de Constance, nous attend. Sur une pointe avancée «Horn» est situé le port de Romanshorn, faisant face à Friedrichshafen.

Arbon, fondation romaine Arbor Felix, est également située sur une presqu'île. Rorschach, troisième ville d'origine romaine, est depuis longtemps connue comme ville commerciale.

Saint Gall, fondée par St. Gallus, est une ville industrieuse de 80.000 habitants, située 700 mètres d'altitude environ. Sa vie culturelle est digne de son passé, dont la richesse se retrouve dans son célèbre monastère et sa bibliothèque mondialement connue.

Terminons notre voyage en jetant un regard vers les monts verdoyants de l'Appenzell, dominés par le grandiose massif du Säntis.

Le cercle décrir par notre voyage s'est refermé. Si tel n'avait pas été le cas, nous aurions peut-être donné notre cœur, au «Cœur de l'Europe».

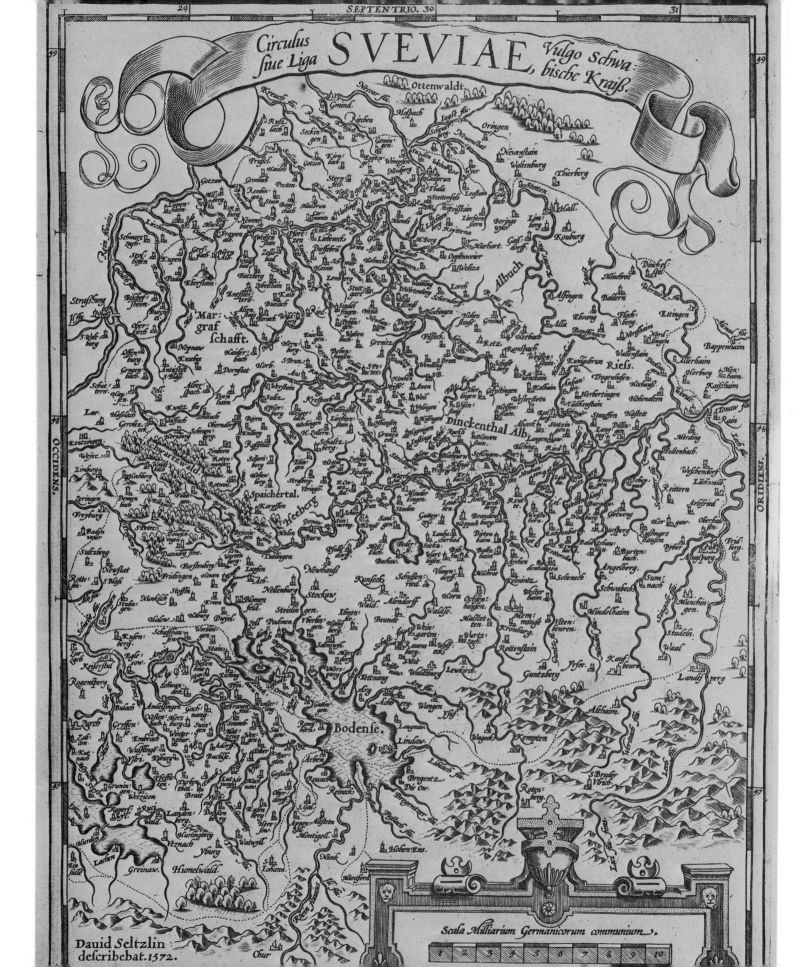

Circulus siue Liga SVEVIAE, Vulgo Schwäbische Kraiß.

Mar: grafschafft.

Schwartzwald.

Albuch

Dinckenthal Alb.

Spaichertal.

Heeberg

Riess

Bodensee.

Humelwald.

David Seltzlin describebat. 1572.

Scala Milliarium Germanicorum communium.

Erläuterungen zu den Karten

Seite 2:
Karte des Sebastian Münster
Der Franziskanermönch Sebastian Münster zeichnete um 1540 diese schon sehr übersichtliche Karte. Als Kosmograph und Orientalist schrieb er die »Cosmographia«, die erste ausführliche, deutsche Weltbeschreibung in 6 Bänden mit 471 Holzschnitten und 26 Karten. Sebastian Münster wurde 1489 in Ingelheim geboren und starb 1552 in Basel.
Drucker Heinrich Petri (1508–1579) in Basel. Holzschnitt auf Papier; B: 34 cm, H: 26 cm, Maßstab: MILARIA GERMANICA = 2 Meilen = 80 mm. (Zentralbibliothek Zürich T 112, T 171, farbig).

Seite 6/7:
Lacus Potamici
Lacus Potamici oder Potamicus wird hier der Bodensee in der Erläuterung genannt, aber auf der Karte selbst tritt der seltene Name »Lacus Moesius« in Erscheinung. Obwohl man in früheren Jahrhunderten schon die heutige Einteilung der Himmelsrichtungen: Norden oben, Süden unten – beim Kartenzeichnen benutzte, sind hier die Achsen der Windrose verlagert.
Gabriel Bucelin (Butzlin) (1599–1681), Benediktinerpater aus Diessenhofen in Weingarten und Feldkirch zeichnete diese Karte. Drucker: Johann Görlin (Gerlin) in Frankfurt am Main (nachgewiesen 1659–1703).
Kupferstich auf Papier; B: 46,3 cm, H: 13,3 cm; kein Maßstab auf der Karte; Süden ist oben. (Zentralbibliothek Zürich, Rp 76).

Seite 12/13:
Karte des Schwabenkrieges von PPW
Diese Karte des »Schwabenkrieges«, die man zu den herrlichsten Schöpfungen der Kartographie zählt, stammt von einem Kölner Meister, von dem man nur das Signum PPW kennt. Die einzigen drei erhalten gebliebenen Exemplare befinden sich in Nürnberg, Basel und Wien. Eines Dürers würdig sind die Zeichnungen der Maulwurfslandschaft im alten Stil mit Appenzeller Bauern, schwäbischen Rittern, mit See, Schiffen, Bergen, Schlössern, Bäumen, Flüssen, Wild und Haustieren. In der Überschrift heißt es: »Krich tzwichsse dem rumichsse Kunick und den Sweitzern«. Bis ins feinste Detail ausgefeilt ist die im Jahre 1499 entstandene im Original 140 × 60 cm große Karte, die als ein kartographisches Meisterstück gilt.
Kupferstich auf Papier, 6 Blätter, zusammen: B: 112 cm, H 51,3 cm; kein Maßstab auf der Karte; Süden ist oben (Germanisches Nationalmuseum Nürnberg).

Explanation of the maps

page 2:
Map by Sebastian Münster
The Franciscan friar Sebastian Münster drew this very clear-cut map as early as 1540. A cosmographer and orientalist, he was the author of 'Cosmographica', the first detailed description of the world in the German language, consisting of six volumes with 471 woodcuts and 26 maps. Sebastian Münster was born at Ingelheim in 1489 and died at Basle in 1552.
Printed by Heinrich Petri (1508–1579) in Basle. Woodcut on paper; 34 cm × 26 cm; Scale: Milana Germanicum = 2 miles = 80 mm (Zentralbibliothek Zürich T 112, T 171, colored).

page 6/7:
Lacus Potamici
Lacus Potamici is the name given to the Lake of Constance in the letterpress, but on the map itself the rarely-used name 'Lacus Moesius' appears. Although the present method of showing orientation when drawing maps – north at the top, south at the bottom – had been in use for centuries, the points of the compass are reversed on this map.
Drawn by Gabriel Bucelin (Butzlin) (1599–1681), Benedictine father from Diessenhofen. Printed by Johann Görlin (Gerlin) (1659–1703) in Frankfurt am Main.
Copper engraving on paper; 46.3 cm × 13.3 cm; Scale: none; South is at the top. (Zentralbibliothek Zürich Rp 76)

page 12/13:
Map of the Swabian War by PPW
This map of the 'Swabian', which is numbered among the finest existing creations of cartography, comes from a Cologne master who is known only by his initials PPW. The only three surviving copies are at Nuremberg, Basle, and Vienna. Worthy of Dürer are the drawings of the old-style 'mole-hill' landscape, with Appenzell peasants and Swabian knights, with the lake, boats, mountains, trees, rivers, game, and domestic animals. The caption reads: 'Krich tzwichsse dem rumichsse Kunick und den Sweitzern' (War between the Roman king and the Swiss). Elaborate to the finest detail, this map is rightly regarded as a cartographical masterpiece. It dates back to the year 1499 and its original measures 56 × 24 inches.
Copper engraving on paper; 6 pages, together: 112 cm × 15.3 cm; Scale: none; South is at the top. (Germanisches Nationalmuseum, Nuremberg)

Explications des cartes

Page 2:
Carte de Sébastien Münster.
C'est vers 1540 que le moine franciscain Sébastien Münster dessina cette carte très détaillée. Cosmographe et orientaliste, il écrivit la «Cosmographia», premier ouvrage en allemand donnant une description très précise du monde en 6 volumes, ornés de 471 gravures sur bois et 26 cartes. Sébastien Münster naquit à Ingelheim en 1489, il mourut à Bâle en 1552.
L'imprimeur Henri Petri (1508–1579) à Bâle. Gravure sur papier. Largeur: 34 cm, hauteur: 26 cm, échelle: Milaria Germanica = 2 miles = 80 mm. (Bibliothèque Centrale, Zurich, T 112, T 171, en couleur)

Page 6/7:
Lacus Potamici
Le lac de Constance reçoit ici le nom de Lacus Potamici ou Potamicus. Sur la carte apparaît le nom peu courant de «Lacus Moesius». Quoiqu'au cours de siècles passés on aît déjà connu la répartition actuelle des points cardinaux: le nord en haut, le sud en bas – seule la rose des vents est utilisée ici pour indiquer l'orientation de la carte.
C'est Gabriel Bucelin (Butzlin) (1599–1681), prêtre bénédictin de Diessenhofen, Weingarten et Feldkirch qui dessina cette carte. Imprimeur: Jean Gerlin (Görlin) à Fracfort Sur le Main. (Documents de 1659–1703).
Estampe sur papier, largeur: 46,3 cm, hauteur: 13,3 cm; carte sans échelle. Le sud est en haut. (Bibliothèque Centrale, Zurich, Rp 76)

Page 12/13:
Carte de la guerre des souabes de PPW.
Cette carte de la guerre des Souabes compte parmi les plus remarquables créations de la cartographie. Elle est dûe à un Maître de Cologne, dont on ne connaît que la signature: PPW. Seuls, 3 exemplaires existent encore, ils se trouvent à Nuremberg, Bâle et Vienne. Le dessin du paysage en forme de taupinière en style ancien pourrait être l'œuvre d'un Dürer, ainsi les paysans suisses de l'Appenzell, les chevaliers souabes, le lac, les bateaux, les montagnes, les châteaux, les arbres, les fleuves, le gibier et les animaux domestiques. Le titre indique: «Krich tzwichsse dem rumichsse Kunick und den Sweitzern» (guerre entre le roi romain et les Suisses). Méticuleusement dessinée jusque dans ses moindres détails, c'est en 1499 que cette carte, dont le format original est de 140 cm/60 cm vit le jour, elle est un vrai chef d'œuvre cartographique.
Estampe sur papier, 6 feuilles, pour la totalité: largeur 112 cm, hauteur 53,6 cm, carte sens échelle. Le sud est en haut. (Musée National Germanique, Nuremberg)

Erläuterungen zu den Karten

Seite 18/19:
Lacus Bodamicus à Matthäo Seuttero
»Lacus Bodamicus vel Acronius cum regionibus circumjacentibus« nennt Matthäus Seutter den Bodensee. Der bedeutende Kartograph wurde in Augsburg 1678 geboren. Im Laufe seines langen Lebens hat er gegen 500 Karten und Atlanten geschaffen. Er starb in seiner Heimatstadt Augsburg im Jahre 1756.
Kupferstich auf Papier; B 54,4 cm, H: 46 cm; Maßstab auf der Karte: Milliare Germanicum = 2 Stund = 45 mm (Zentralbibliothek Zürich 4He04).

Seite 30/31:
Karte des Johann Georg Tibianus (1541–1611) aus Freiburg i.Br., Lateinlehrer und Kartensachbearbeiter in Biberach und Überlingen.
Diese Karte des Johann Georg Tibianus wurde 1603 entworfen und »Getruckt zu Costantz am Bodensee bey Nicolao Kalt«. Dieser entstammte einer alten Konstanzer Druckerfamilie, die sich später auch mit der Herausgabe von Zeitungen beschäftigte. Hier die »Wahre Abconterfethung deß weitberümbter Bodensee/sambt derselben Gelegenheit.
Holzschneider: David Seltzlin (1535/40–1609) aus Ulm, Kunstschreiber und Schulmeister. Holzschnitt auf Papier (drei Blöcke); B: 72 cm, H 35 cm; Maßstab auf der Karte: 3 Meilen (?) = vermutlich Deutsche Meilen von ca. 10 km = ca. 1:140 000 im östlichen Teil, und ca. 1:300 000 im westlichen Teil der Karte (Durchschnittsmaßstab 1:225 000). (Zentralbibliothek Zürich, Zimelien, 4He03).

Seite 33:
Circulus siue Liga Sueviae Vulgo schwabische Kraiß.
David Seltzlin, Schul- und Rechenmeister von ca. 1536 bis 1540 in Ulm, später in Biberach, hat 1572 zum ersten Mal eine Karte des Schwäbischen Kreises herausgebracht. Seltzlin wollte die maximilianische Einteilung des Reiches in Kreise mit Einzelkarten festhalten bzw. darstellen. Die Karte ist derb und handwerksmäßig gezeichnet.
Von Schwaben und dem Schwäbischen Kreis wurden seit Ende des 16. Jahrhunderts bis etwa zum Beginn des 19. Jahrhunderts 70 verschiedene Karten gezeichnet und gedruckt.

Explanation of the maps

page 18/19:
Lacus Bodamicus à Matthäo Seuttero
'Lacus Bodamicus vel Acronius cum regionibus circumjacentibus' is the title by Matthäus Seutter to this map of the Lake of Constance and adjacent regions. This important cartographer was born at Augsburg in 1678. In the course of his long life he produced some 500 maps and atlases. He died in his native city of Augsburg in the year 1756.
Copper engraving on paper; 54.5 cm × 46 cm; Scale: Milliare Germanicum = 2 hours = 45 mm. (Zentralbibliothek Zürich 4He04)

page 30/31:
Map by Johann Georg Tibianus (1541–1611) in Freiburg in Breisgau. Latin teacher and curator of maps in Breisgau and Überlingen.
This map was drawn by Johann Georg Tibianus in the year 1603 and 'Getruckt zu Costantz am Bodensee bey Nicolao Kalt' (printed at Constance at the Lake of Constance by Nicolao Kalt). Kalt came from an old Constance printing family, which later published newspapers also. Here you see the 'Wahre Abconterfethung deß weitberümbter Bodensee / sambt derselben Gelegenheit' (true portrayal of the widely famed Lake of Constance / together with its environs).
Woodcut by David Seltzlin (1535/40–1609) from Ulm, Calligrapher and schoolmaster. Woodcut on paper (3 blocks); Scale: 3 miles (?) = probably German miles appr. 10 km = appr. 1:140,000 in the eastern and 1:300,000 in the western half of the map (average: 1:225,000). (Zentralbibliothek Zürich, Zimelien, 4He04)

page 33:
Circulus siue Liga Sueviae Vulgo schwabische Kraiß.
David Seltzlin, school and reckoning master at Ulm from ca. 1536 until 1540, later at Biberach, produced the first map of the 'Schwäbischer Kreis' (Swabian district) in 1572. Seltzlin wanted to preserve and represent the division of the Empire by Maximilian into 'Kreise' or districts by means of individual maps. This map is roughly and somewhat mechanically drawn.
About 70 different maps of Swabia and the Black Forest were drawn and printed between the end of the 16th century and the beginning of the 19th century

Explications des cartes

Page 18/19:
Lacus Bodamicus à Matthäo Seuttero
Matthäus Seutter appelle le lac de Constance: «Lacus Bodamicus vel Acronius cum regionibus circumjacentibus». Ce cartographe important naquit à Augsbourg en 1678. Tout au long de sa longue vie il réalisa près de 500 cartes et atlas. Il mourut dans sa ville natale d'Augsbourg en 1756.
Estampe sur papier. Largeur: 54,5 cm, hauteur: 46 cm, échelle sur la carte: Milliare Germanicum = 2 fuseaux horaires = 45 mm. (Bibliothèque Centrale, Zurich 4He04)

Page 30/31:
Carte de Johann Georg Tibianus (1541–1611) de Fribourg en Brisgau, professeur de latin et spécialiste en cartographie à Biberach et Überlingen.
C'est en 1603 que cette carte fut dessinée. «Getruckt zu Constanz am Bodensee bey Nicolao Kalt» (Imprimée à Constance sur les bords du Lac de Constance, par Nicolao Kalt). Ce dernier appartenait à une vieille famille d'imprimeurs de Constance qui, plus tard, édita également des journaux.
Graveur: David Seltzlin (1533/40–1609), originaire d'Ulm, artiste scribe et professeur d'école. Gravure sur papier (3 panneaux). Largeur: 72 cm, hauteur 35 cm. Echelle sur la carte: 3 miles (?) = probablement des miles allemands d'environ 10 km = environ 1/140 000 du côté est et environ 1/300 000 sur le côté ouest de la carte (échelle moyenne: 1/225 000). (Bibliothèque Centrale, Zurich, Trésors de la bibliothèque, 4He03)

page 33:
Circulus siue Liga Sueviae Vulgo schwabische Kraiß.
David Seltzlin, instituteur et maître des comptes à Ulm de 1536 à 1540, plus tard à Biberach, sortit pour la première fois en 1572 une carte du Cercle souabe. Seltzlin voulait représenter le partage maximilien de l'Empire sous forme de carte, une pour chaque cercle. La carte porte la marque d'un solide travail artisanal.
70 cartes diverses de Souabe et des cercles souabes ont été gravées et imprimées de la fin du XVIème siècle jusqu'au début du XIXème siècle.

Bregenz, die größte österreichische Stadt am Bodensee vor der einmaligen Kulisse der schneebedeckten Vorarlberger Alpen.

Bregenz, the largest Austrian city on the Lake of Constance, below the unique scenery of the snow-covered Alps of the Vorarlberg.

Bregenz, ville autrichienne la plus importante au bord du lac de Constance, située devant le magnifique décor des Alpes de Vorarlberg, couvertes de neige.

Aus weitem Bergtor strömend fließt der Rhein zwischen den Appenzeller Vorbergen und Vorarlberg dem Bodensee zu. Die Berge und der See bilden die reizvolle Kulisse für eine Märchenwelt aus Licht und Klang, die sich während der berühmten Bregenzer Festspiele auf dem Wasser entfaltet.

Issuing from a wide mountain-gaite, the Rhine flows between the Appenzell foothills and Vorarlberg towards the Lake of Constance. Mountains and lake provide the delightful setting for a fairytale world of light and sound that unfolds on the water during the famous Bregenz festival.

Le Rhin s'écoule vers le lac de Constance entre les montagnes de l'Appenzell et Bregenz. Lac et montagnes forment une coulisse grandiose pour ce monde merveilleux de lumière et de son du célèbre festival se déroulant sur l'eau.

Lindau, das sich hier einmal vor der mächtig aufragenden Kulisse der Alpen präsentiert. Im Hinterland von Lindau kann man sich noch einer größtenteils unberührten Natur erfreuen.

Lindau, which presents itself here – set against the mighty, powerful Alps. Lindau's hinterland provides one with the opportunity to enjoy a portion of largely untouched natural beauty.

Lindau, avec, se détachant en coulisse, la masse imposante des Alpes. Autour de Lindau, l'arrière-pays permet de jouir d'une nature en grande partie encore intacte.

Vom Pfänder gesehen, wird der See zum Meer, auf das der sinkende Tag den Perlmuttglanz ziehender Wolken zaubert.

Seen from the Pfänder, the lake becomes a sea, the surface of which, in the fading light, reflects the mother-of-pearl hues of drifting clouds.

Depuis le Pfänder, le lac est une grande mer intérieure. Les nuages du couchant, courant dans le ciel lui donnent une merveilleuse teinte nacrée.

In der Abendsonne, romantisch eingerahmt, die südlich anmutende Kulisse der Inselstadt Lindau. So idyllisch und beschaulich anzusehen, wie einst bei Horst-Wolfram Geißlers »Der liebe Augustin«.

The southern face of the graceful island city of Lindau, romantically framed in the evening sun. As peaceful and idyllic to the eye as Horst-Wolfram Geißlers 'Der liebe Augustin' once was.

Au crépuscule, entouré d'un cadre romantique, le décor de la presqu'île qui sert de socle à la ville de Lindau au charme méridional. Il est aussi idyllique et paisible qu'autrefois le: «Der liebe Augustin» (le cher Auguste) de Horst-Wolfram Geißler.

In den alten Gassen der Inselstadt Lindau werden Erinnerungen an H. W. Geißlers Romanfigur des »Lieben Augustin« wach. Heute treffen sich in der Stadt alljährlich Nobelpreisträger aus aller Welt.

The old, narrow lanes of the island-city Lindau awaken memories of H. W. Geißler's character, 'Lieber Augustin'. Today Nobel laureates from all over the world convene each year in this city on the lake.

Dans les vieilles ruelles de la ville insulaire de Lindau on retrouve les souvenirs que l'on a gardés du héros du roman de H. W. Geißler: «Cher Auguste». Aujourd'hui c'est dans cette ville sur le lac que se retrouvent tous les ans les lauréats du Prix Nobel du monde entier.

Bayerischer Löwe und Leuchtturm, Wahrzeichen der Hafeneinfahrt von Lindau, blicken hinüber zu den Schweizer Bergen und Alpen.

The Bavarian lion and the lighthouse, landmarks at the entrance to the harbour at Lindau, look across to the Swiss Alps.

Lion bavarois et phare, symboles de l'entrée du port de Lindau, étendent leurs regards aux montagnes suisses et aux Alpes.

Zum Schönsten, was der See zu bieten hat, gehört das Farbenspiel der untergehenden Sonne, die leuchtenden Wolken und deren Spiegelbild auf dem Wasser.

Among the most beautiful sights the lake has to offer is the opalescence of the setting sun, the luminescence of the clouds and their reflection in the water.

Parmi les plus beaux spectacles que nous offre le lac il faut compter les jeux de lumière du soleil couchant, les nuages qui brillent de ses feux et leurs reflets sur l'eau.

Kressbronn mit seiner typischen Zwiebelturmkirche versinkt im Frühjahr in einem Blütenmeer. Von majestätischer Größe das Schweizer Alpenpanorama mit Säntis und Altmann.

Kressbronn, whose church has the typical onion-shaped dome, is immersed in an ocean of flowers in Spring. In the background the majestic Swiss Alps with Säntis and Altmann.

Kressbronn et son église au typique clocher à bulbe, au printemps, noyée dans une mer de fleurs. D'une grandeur majestueuse le panorama des Alpes suisses, avec les sommets du Säntis et de l'Altmann.

Mit tausenden leuchtenden Irisblüten hat sich die Wiese am Ufer des Bodensees zwischen Lindau und Friedrichshafen festlich geschmückt.

With thousands of shining iris blossoms this meadow on the shore of the Lake of Constance between Lindau and Friedrichshafen has put on a festive dress.

Des milliers d'iris d'un bleu lumineux émaillent cette prairie au bord de lac, entre Lindau et Friedrichshafen.

Es waren St. Galler Mönche, die sich bereits im Jahre 600 in Wasserburg, einer Perle am bayerischen Bodenseeufer, niederließen und der damaligen Insel den Namen »Wazzarburuc« gaben.

As early as the year 600 monks from St. Gallen settled on the site of presentday Wasserburg and gave the island, a pearl of the lake's Bavarian shore, the name 'Wazzarburuc'.

Ce sont les moines de Saint Gall, qui dès l'an 600 se sont installés à Wasserburg, une perle sur la rive bavaroise du lac de Constance, et qui ont donné à l'île qui existait alors le nom de: «Wazzarburuc».

Hinter dem Grün des Kurparks versteckt, wird das in pseudo-maurischem Stil errichtete Montfort-Schloß in Langenargen zu einem Bau von eigenem Reiz, in dem sich Erholungsuchende wohlfühlen.

Part-hidden behind the green of the Kurpark the Schloss of Montfort at Langenargen, built in a pseudo-Moorish style, becomes a building with a restful charm of its own.

A Langenargen, le château de Montfort, de style néo-mauresque, se cache dans la verdure du parc où les estivants viennent chercher repos et détente.

Mit Friedrichshafen ist der Name Zeppelin eng verbunden, starteten doch von hier aus zu Beginn unseres Jahrhunderts die Aufsehen erregenden Weltfahrten der mächtigen Luftschiffe.

The name Zeppelin is closely associated with Friedrichshafen, as the proud airships were launched here on their sensational voyages which spanned the globe at the dawn of the century.

Le nom de Zeppelin est étroitement lié à Friedrichshafen. C'est là que commençaient au début de ce siècle les sensationnels et passionnants voyages autour du monde des puissants vaisseaux de l'espace.

Die Friedrichshafener Schloßkirche, ein Spiel mit Stuck. Eindrucksvoll der Kontrast des in Weiß gehaltenen Innenraumes mit den dunklen Farben der Ausstattung.

The palace church in Friedrichshafen: fantasy in stucco. The contrast between the white interior and the dark colors of the furnishings is impressive.

L'église du château de Friedrichshafen, un jeu de stuc. Il faut remarquer le contraste de l'intérieur entièrement blanc avec les couleurs sombres des décorations.

Friedrichshafen, eine moderne Stadt mit einem Zentrum der Metallindustrie von europäischem Rang. Der nach 1945 neu erstandene Stadtkern ist Mittelpunkt eines geschäftigen Lebens. Eine Autofähre verbindet Friedrichshafen mit dem schweizerischen Romanshorn.

Friedrichshafen, ville moderne, dotée d'un centre d'industrie métallurgique de niveau européen. Le nouveau centre-ville qui a vu le jour après 1945 constitue le noyau de la vie commerciale. Un bac relie Friedrichshafen à la ville suisse de Romanshorn.

Friedrichshafen, a modern city and an important center of the European metal industry. The downtown area, rebuilt after 1945, is a hub of activity. A car ferry connects Friedrichshafen with the Swiss city of Romanshorn.

Nur ein genialer Maler wie Caspar David Friedrich vermochte solche Farbwunder im Bilde festzuhalten.

Only a painter of genius like Caspar David Friedrich could have preserved such miracles of colour in a picture.

Seul un peintre génial comme Caspar David Friedrich est parvenu à fixer un tel miracle de couleur.

Hoch über den Rebhängen von Hagnau und Immenstaad mit einem herrlichen Ausblick auf den See liegt Schloß Kirchberg. Einst war es Ruhesitz des letzten Abtes von Salem.

Kirchberg castle, overlooking the vinyards at Hagenau and Immenstaad with a beautiful view of the lake, was once the retirement residence of the last abbot of Salem.

Bien plus haut que les côteaux couverts de vignes de Hagnau et d'Immenstaad, d'où l'on a une vue magnifique sur le lac, se trouve le château de Kirchberg. Il fut autrefois le lieu de retraite du dernier Abbé de Salem.

Das bei Meersburg inmitten von Reben gelegene Konstanzer Weingut Haltnau grüßt über den See zur alten Konzilstadt.

Sited amid the vines near Meersburg, the house of the Constance vineyard of Haltnau greets across the lake to the ancient Council city.

Non loin de Meersbourg, les vignobles de Haltnau, propriété de la ville de Constance.

Meersburger Weißherbst – ein Begriff für Kenner. Man trinkt ihn in behaglicher Gaststätte, sieht dabei dem Flug der Möwen und dem Kommen und Gehen der Fährschiffe zu, die eine unsichtbare Brücke hinüber nach Konstanz schlagen.

Meersburg 'Weißherbst' – a name known to experts. One drinks it in cosy inns, watching the flight of the gulls and the coming and going of the ferry steamers, which form an invisible bridge across to Constance.

«Meersburger Weißherbst» est le nom d'un vin bien connu des connaisseurs. On le déguste tranquillement à la terrasse d'un café en observant le vol des mouettes et les allées et venues des bacs vers Constance, formant ainsi un pont invisible.

Daß die Konstanzer Fürstbischöfe zu leben verstanden, zeigt sich in der Neuen Residenz zu Meersburg, deren Inneres die Hand des genialen Baumeisters Balthasar Neumann verrät. Ein herrlicher Rahmen für die Schloßkonzerte.

That the prince-bishops of Constance well knew how to live is shown by the New Residence at Meersburg, the interior of which betrays the hand of an architect of genius, Balthasar Neumann. A, splendid setting for the Schloss concerts.

Les princes évêques de Constance confièrent à l'architecte Balthasar Neumann la construction de leur résidence de Meersbourg. Un magnifique cadre pour les concerts.

Das turmbewehrte alte Schloß von Meersburg ist ein Stück steingewordene Geschichte. Bereits die Merowinger sollen den Grundstein gelegt haben. Konradin von Hohenstaufen und Deutschlands größte Dichterin, Annette von Droste-Hülshoff, weilten hinter den altersgrauen Mauern.

The Old Castle of Meersburg is a piece of history turned to stone. The Merovingians are said to have laid the foundation-stone. Konradin of Hohenstaufen and Annette von Droste-Hülshoff, Germany's greatest poetess, dwelt behind these walls grey with age.

Le vieux château-fort de Meersburg est un témoin historique. Il aurait été fondé par les mérovingiens. Konradin von Hohenstaufen y vécu, ainsi que la plus célèbre poétesse allemande: Annette Droste-Hülshoff.

An malerischen Fachwerkhäusern vorbei, die sich seit dem Mittelalter kaum verändert haben, führt die Steigstraße in die Oberstadt von Meersburg.

Along picturesque half-timbered houses, practically unchanged since the Middle Ages, the Steigstrasse climbs to the upper part of the city of Meersburg.

En passant devant les pittoresques maisons à colombage, qui depuis le Moyen-Age n'ont été qu'a peine modifiées, la «Steigstrasse» (La rue qui monte à pic) conduit à la ville haute de Meersbourg.

Sind wir im Steinzeit- oder Bronzezeitalter? Die Rekonstruktionen der Pfahlbauten bei Unteruhldingen, die uns einen Einblick in das Leben der Urbewohner der Bodenseegestade geben, blenden 4000 Jahre in der Menschheitsgeschichte zurück.

Are we in the Stone Age – or in the Bronze Age? The reconstructed pile-dwellings at Unteruhldingen, which give an insight into the life of primeval inhabitants on the shores of the lake, take us back 4000 years in the history of the human race.

Sommes-nous à l'âge de pierre ou de bronze? La reconstruction de la cité lacustre de Unteruhldingen, nous ramène à 4000 ans en arrière et nous permet de jeter un regard sur la vie des premiers habitants des rives du lac.

Mit dem Bau der Marien-Wallfahrtskirche Birnau, einer Tochter des Kloster Salem, gelang dem genialen Baumeister Peter Thumb, Landschaft und Architektur unlösbar miteinander zu verschmelzen.

With the construction of the pilgrimage Church of Our Lady at Birnau, an offshoot of the monastery at Salem, the ingenious architect Peter Thumb succeeded in blending landscape and architecture to perfection.

Avec la construction de l'église de pélerinagemarial de Birnau, fille du monastère de Salem, le génial architecte Peter Thumb a réussi à fondre paysage et architecture d'une manière inextricable.

Das Innere der Birnauer Wallfahrtskirche ist in der Vielfalt barocker Formen, im Spiel der Putten und im Schwung der Linien das Spiegelbild der Bodenseelandschaft.

The interior of the pilgrimage church of Birnau reflects the landscape of the Lake of Constance in the variety of its baroque forms, the play of the putti, and the curving lines.

L'intérieur de l'église est du plus pur baroque et reflète dans ses lignes l'aspect ravissant du pays du lac de Constance.

Von der Renaissance geadelt, steht der Fürstensitz Schloß Heiligenberg über dem Obstgarten des Salemer Tales.

Ennobled by the princely residence of Schloss Heiligenberg towers above the ochard of the Salem valley.

Le château de Heiligenberg, résidence princière, ennobli par la Renaissance, domine les vergers de la vallée de Salem.

Kann man sich ein prunkvolleres Torhaus denken wie jenes, das der Baumeister Bagnato den Bauten des ehemaligen Klosters Salem vorblendete?

Can one imagine a more sumptuous gatehouse than that placed by the architect Bagnato in front the buildings of Salem monastery?

Peut-on imaginer plus merveilleuse porte d'entrée? Elle fut construite par le Maître Bagnato pour l'ancien couvent de Salem.

Unberührte Landschaft bei Seefelden. Der Turm der romanischen Pfarrkirche St. Martin grüßt bis zur Blumeninsel Mainau hinüber.

Virgin landscape in the vicinity of Seefelden. The steeple of the Romanesque parish church, St. Martin, extends its greetings across to the floral Island Mainau.

Paysage au caractère naturel près de Seefelden. Le clocher de l'église paroissiale romane St. Martin fait résonner son carillon jusque sur l'île fleurie de Mainau en face.

Überlingens einstige Reichsstadtherrlichkeit läßt sich deutlich heute noch an den steilen Staffelgiebeln, den Bürgerhäusern, dem erhaltengebliebenen Mauergürtel, den Tortürmen und am Nikolausmünster ablesen.

Überlingen's former splendour as a free city of the Empire is still clearly to be seen in the steeply stepped gables, the burgher's houses, the surviving girdle of town-walls, and the Minster of St. Nicolaus.

Le riche passé de Überlingen, ancienne ville impériale, se voit encore nettement dans l'aspect de ses maisons patriciennes, sa ceinture de remparts, ses tours, et sa très belle cathédrale de St. Nicolas.

Unter dem herbstlichen Goldlaub eines Baumes schweift der Blick über den fjordartigen Überlinger See zu dem von charakteristischer Ruine überragten uralten Dorf Bodman.

Below the golden autumn-leafage of a tree the eye passes across the fjordlike Überlinger See to the ancient village of Bodman dominated by its characteristic ruin.

L'automne. Feuillage d'or au bord du lac d'Überlingen. Sur l'autre rive, le très vieux village de Bodman, dominé par les ruines de son vieux château.

Erst aus der Vogelschau zeigt sich der ganze Zauber des westlichen Zipfels des Überlinger Sees. Hingeschmiegt an den von der Ruine Alt-Bodman und dem Frauenbergschloß gekrönten Bodanrück liegt inmitten von Obstgärten das uralte Dorf Bodman. Aus der Ferne grüßen die Hegauberge herüber.

Only a bird's-eye view reveals the full charm of the western tip of the Überlinger See. Framed by orchards, the ancient village of Bodman nestles close to the Bodanrück, which is crowned by the ruined Alt-Bodman and the Schloss of Frauenberg. In the distance appear the Hegau mountains.

Tout le charme de la pointe ouest du lac d'Überlingen apparaît vraiment vu à vol d'oiseau. Le charmant village de Bodman, niché entre le lac et les pentes boisées du Bodanrück, dominé par les ruines de son vieux château et le Frauenberg Schloß. Dans le lointain la chîne du Hegau.

An seinem Ende entfaltet der Überlinger See noch einmal seine ganze Lieblichkeit und Schönheit. Das Dorf Sipplingen fügt sich malerisch in diese Landschaft ein.

At the end of the Überlinger See the charm and entire beauty of the lake is unfolded once more. The village of Sipplingen blends gracefully into this landscape.

C'est à son extrémité que le lac d'Überlingen donne encore une fois libre cours à tout son charme et à sa beauté. Le village de Sipplingen se fond de manière pittoresque dans ce paysage.

Das von Bagnato auf der Insel Mainau 1739–1746 erbaute, mit reichem Barock ausgestattete Deutsche Ordensschloß, mit Schloßkapelle und farbenprächtigem Rosengarten.

The richly-decorated Baroque Palace of the Teutonic Order, erected by Bagnato on the Island Mainau between 1739 and 1746, with its chapel and lavishlycolored rose garden.

Le château qui fut bâti sur l'île de Mainau par Bagnato entre 1739 et 1746, et décoré en riche style baroque, ainsi que la chapelle du château, entourée d'un roseraie aux couleurs somptueuses.

Der Blick vom Flugzeug aus läßt erkennen, wie der See als transparentes, in unregelmäßigen Stufen absinkendes Gewässer, die schloßgekrönte Blumeninsel Mainau umschließt. Im Hintergrund der malerische Ort Litzelstetten.

A bird's-eye view from the aeroplane shows how the lake encloses the flowery island of Mainau with its Schloss in transparent, irregularly descending steps.

La vue aérienne montre distinctement les diverses profondeurs autor de l'île fleurie de Mainau.

Einzigartig ist vom März bis in den Oktober hinein das Blütenfeuerwerk auf der »Isola Bella« auf deutschem Boden, der bei
Konstanz gelegenen Insel Mainau.

Unique from March until October are the fireworks of blossoms on the Island of Mainau near Constance, an 'Isola Bella'
on German soil.

L'île de Mainau, une merveilleuse floraison durant du début de
mars à fin octobre, rappelle la délicieuse «Isola Bella».

Konstanz, die ehemalige Bischofstadt, mit dem weit sichtbaren Münsterturm und dem alten Kaufhaus am Hafen, genannt Konzil. Das Blau des Sees und das frische Grün des Stadtgartens bilden einen reizvollen Kontrast zur Silhouette der Stadt.

Constance, the former seat of the largest German bishopric, with its prominent cathedral tower and old warehouse, named "Konzil". The blue of the lake and the fresh green of the Municipal Garden provide a charming contrast to the silhouette of the city.

Constance, l'ancienne ville épiscopale, dont on distingue au loin la basilique surmontée de son unique tour et le vieux magasin nommé «Concile» en bordure du port. Le bleu du lac et la verte fraicheur des jardins municipaux offrent un contraste charmant avec la silhouette de la ville.

Erst seit dem großen Konzil von 1414–1418 trägt das am Hafen liegende mächtige »Alte Kaufhaus« der einst bedeutenden Handelsstadt Konstanz den Namen »Konziliumsgebäude«. Als Dokument der Neuzeit steht im Vordergrund das Zeppelindenkmal.

Since the great Council of 1414–1418 the impressive 'Altes Kaufhaus' by the harbour of the once important trading town of Constance has been known as 'Konziliumsgebäude'. In the foreground stands as a document of modern times the Zeppelin Memorial.

Le vieil entrepôt du port de Constance, autrefois très important centre commercial, porte depuis le grand concile, de 1414–1418, le nom de «bâtiment du concile». Au premier plan, un document des temps modernes, le monument élevé à la mémoire du Comte de Zeppelin.

In dem Renaissance-Innenhof offenbart das schlichte, zwischen alte Bürgerhäuser der Kanzleistraße sich drängende Rathaus den Schönheitssinn seiner selbstbewußten Erbauer.

The Renaissance internal courtyard of the plain town hall, boxed in between old burgher's houses in the Kanzleistrasse, reveals the sense for beauty of its proud builders.

Entre les maisons de la Kanzleistrasse, la ravissante mairie avec sa cour intérieure du plus ravissant style renaissance.

Als »Gottesburgen« halten die tausend Jahre alten Kirchen heute noch auf den fruchtgesegneten Fluren der Reichenau Wacht und künden vom einstigen Ruhm der Klosterinsel.

Churches a thousand years old still watch like 'castles of God' over the blessed fields of the Reichenau and bear witness to the fame of the monastery island.

«Bastions de la foi chrétienne», les vieilles églises de l'île fertile de Reichenau témoignent de la puissance passée de son célèbre couvent.

Kostbarkeiten beherbergt die Schatzkammer des Reichenauer Münsters. Der silbergetriebene Markusschrein stammt aus dem 14. Jahrhundert.

Such objects value rest in the treasure room of the Reichenau Minster. This silver chased shrine to St. Mark dates from the fourteenth century.

La chambre du trésor de la basilique de Reichenau renferme de précieuses œuvres d'art. Le reliquaire de St. Marc en argent repoussé date du 14ème siècle.

Mitten im Herzen der Insel Reichenau liegt das Münster. Einst Herzstück des reichen und weltberühmten Benediktinerklosters.

The minster is situated in the heart of Reichenau island. At one time the church was the center piece of the rich and world-famous Benedictine monastery.

C'est en plein cœur de l'île de Reichenau que se trouve la basilique. Elle fut autrefois le centre du riche monastére bénédictin de renommée internationale.

Allensbach blickt mit dem Zwiebelturm seiner Kirche zur Insel Reichenau und zu dem von Schlössern gekrönten Schweizer Ufer hinüber.

Allensbach looks with the onion-shaped cap of its church towards the island of the Reichenau and the Swiss bank, crowned by châteaux.

Depuis Allensbach, avec son église au clocher en forme de bulbe, la vue s'étend vers l'île de Reichenau et la rive suisse couronnée de châteaux.

Die Drachenburg zu Gottlieben ist nicht nur ein Leckerbissen für die Augen, sie bietet auch kulinarische Genüsse. Zu ihnen zählten einst die »Groppen«-Fische, die in das Ermatinger Fastnachtsbrauchtum eingingen.

The Drachenburg at Gottlieben is not only a delicacy for the eyes, it also offers culinary pleasures. Among these were once the 'Groppen' fish, now only commemorated in the carnival customs of Ermatingen.

La «Drachenburg» de Gottlieben n'est pas seulement un délice pour les yeux, elle offre également des délices culinaires, entre autre les «Groppen-Fische» (poissons du lac), que l'on retrouve dans la tradition du carnaval à Ermatingen.

Hinter den Säulen schlanker Pappeln grüßen bei Moos das uralte Radolfzell und die langgestreckte Landzunge der Mettnau herüber.

At Moos, behind the columns of slender poplars, we are greeted by the ancient Radolfzell and the long land-tongue of the Mettnau.

Le vieux Radolfzell et la presqu'île Mettnau vus à travers les grands peupliers de la rive près de Moos.

Reizvoll der Blick über das Örtchen Wangen auf der Höri zum Schweizer Ufer mit seinem bewaldeten »Seerücken«. Die Höri, seit jeher Domizil bekannter Maler und Schriftsteller.

The view across the housetops of Wangen, a village situated on the Höri peninsula, to the Swiss shore, with its forested 'Seerücken' (lake ridge). 'Höri', which has been the residence of famous artists and writers for ages.

Vue attrayante au delà du hameau de Wangen situe sur le Höri, sur la rive suisse et ses «bosses» couvertes de forèts. Les monts du Höri sont depuis toujours le domicile de peintres et écrivains célèbres.

Wie eine kostbare Spange umschließt das malerische Stein am Rhein den Ausfluß des Rheins aus dem sich hier trichterförmig verengenden Untersee. Ganz nahe an das Ufer des jungen Hochrheins schiebt sich das fast tausend Jahre alte Kloster St. Georgen.

Like a costly brooch the picturesque little town of Stein am Rhein encloses the outflow of the Rhine from the Untersee, which here narrows to a funnel. Quite close to the bank of the 'stripling' High Rhine stands the monastery of St. Georgen, almost a thousand years old.

Telle une broche précieuse, la petite ville pittoresque de Stein am Rhein enserre le Rhin à sa sortie du Untersee. Sur les bords mème du fleuve le couvent de St. Georges vieux de 1000 ans.

Eine Fahrt auf dem Hochrhein, der zwischen Stein a. Rhein und Schaffhausen Dörfer, Städte und Klöster berührt und die noch »heile« Landschaft bei Langwiesen durchfließt, wird zum bleibenden Erlebnis.

A trip on the High Rhine, which between Stein am Rhein and Schaffhausen flows past villages, towns, and monasteries, as well as through a still untouched landscape at Langwiesen, will be a lasting experience.

La descente du Rhin jusqu'à Schaffouse reste un souvenir inoubliable. Sur ses rives: des villes et villages riants, de vieilles tours, de couvents, autant de perles précieuses dans l'écrin verdoyant d'un paysage encore inchangé.

Hinter Schaffhausen, dem schweizerischen Nürnberg, setzt der 21 Meter hoch über eine Felsbarriere niederstürzende Rheinfall unserer Hochrheinfahrt ein Ende. Dieser Wassersturz gilt als eines der größten Naturwunder Europas.

Beyond Schaffhausen, the 'Swiss Nuremberg', the Falls of the Rhine put an end to our trip on the High Rhine. Plunging down over a rock-barrier 70 feet high, these waterfalls are rightly regarded as one of Europe's greatest natural wonders.

Après Schaffouse, le Nuremberg Suisse, la chute du Rhin, haute des 21 mètres, vient mettre fin à notre descente un bateau. Cette chute d'eau est considérée comme l'un des plus grands miracles de la nature, en Europe.